영유아 교육을 위한
교수설계

EDUCATION

영유아 교육을 위한 교수설계

김경진 지음

아카데미프레스

머
리
말

본 서는 영유아교육 교수설계를 위한 기본서로 작성되었다. 요즈음 고령화 사회로의 급격한 변화는 여성의 안정적 사회생활을 위한 보육 강화 및 출산율 저하로 이어지고 있다. 역사적으로도 영유아교육 교수설계의 필요성과 관심이 증대된 배경은 핵가족화, 여성의 사회진출 등과 같은 사회적 요인과 영유아기가 전 인생의 발달 초기로 보육 및 교육이 중요한 시기라는 점이다.

여성의 고용 증대는 생산구조가 변화되고, 여성의 사회참여 의지가 상승하며, 복지지원 확대로 지속되고 있다. 전통적인 대가족 제도에서는 조부모 및 친인척이 함께 살았기 때문에 가족 구성원 모두가 양육을 도왔다. 그러나 핵가족화 제도에서는 조부모와 친인척의 도움을 받기가 어려워 영유아의 보호와 교육은 심각한 사회 문제로 등장하기에 이르렀다. 이러한 현상은 여성도 자아실현을 기반으로 사회진출을 권장하는 전 세계 모든 국가의 공통의 문제로 대두되고 있다. 뿐만 아니라 많은 영유아 관련 연구에 의하면 교육이 빠를수록 큰 효과를 얻을 수 있다는 결과에 따라 보통 출생부터 3세까지의 발달단계를 교육의 중요한 시기로 보고 있다. 1980년대부터 생후 4년까지, 즉 유치원 전 연령이 인간발달에서 중요한 단계로 인식되면서 영유아교육을 위한 교수설계가 비구조적이고 비체계적인 형태에서 구조적이고 체계적인 형태를 갖추기 위한 교수설계가 이루어지고 있다.

특히 많은 영유아기 교육과정에서 설계적 측면이 미약한 점을 고려하여 체제적 교수설계 방법에 따라 효과적인 영유아교육을 위한 교수설계가 이루어질 수 있도록 교수설계 이론에 대해 소개하고 있다. 교수설계는 과목전문가와 교수개발자에 의해 수행되는 일련의 활동으로, 학습내용에 따라 학습자의 지식, 기술, 태도 면에서 학습목표 달성을 위한 최적의 교수방법이 무엇인지를 수립해 나가는 과정이다. 교수설계는 요구분석, 교수설계, 교수개발, 교수실행, 교수관리, 교수평가와 같은 교수활동이 전 영역에 포함된다. 교수설계는 학습목표 달성을 위해 각 단계에 필요한 모든 수단을 제공하고, 학습자의 올바른 방향으로의 변화를 이끌 수 있는 최적의 교수방법을 제공하는 것이다.

본 서를 통해 효과적인 영유아교육을 위한 교수설계가 이루어지고, 영유아의 발달단계를 고려한 다양한 측면의 영유아교육을 위해 효과적이고, 효율적이며, 매력적인 교수설계가 되기를 바란다.

차
례

영유아교육의 이해

체제적 교수설계

10

영유아교육의 적용

제1부

영유아교육의 이해

영유아교육의 기초

제 1 장

학습목표
– 영유아교육과 보육의 역사적 동향을 알 수 있다.
– 교육과 보육의 현대적인 관점에 대해 이해할 수 있다.
– 교육과 보육의 차이를 개념화할 수 있다.
– 우리나라 유아 교육과 보육의 내용체계를 이해할 수 있다.
– 교육과 보육에 대한 시사적 내용에 관심을 가질 수 있다.
– 우리나라의 보육과 교육체계를 익혀 영유아 프로그램을 이해하고 개발하는 데 기초지식을 습득할 수 있다.

1. 교육과 보육의 역사적 동향

인류의 역사를 거슬러 올라가 보면 매우 오래전부터 육아의 권리와 의무는 부모와 가정에 속해 왔다. 하지만 역사가 흐름에 따라 영유아교육에 대한 필요성이 증가하게 되었는데, 19세기 이후의 산업 발전이 가장 큰 원인이라고 할 수 있다. 여성의 사회진출이 늘어나게 되면서 대가족 제도에서 핵가족 제도로 변화하고 보육의 문제가 발생했기 때문이다. 따라서 아동을 양육하는 것이 가정만의 문제에 국한되지 않고 국가적 차원에서의 도움을 필요로 하는 것으로 부각되기 시작했다. 또한 체계적인 학문의 발달로 영유아기는 교육적 발달이 결정적으로 이루어지는 핵심적인 시기임을 알게 된 것도 하나의 원인이라 할 수 있다. 따라서 우리는 영유아의 교육과 보호에 대한 전통적 관점과 현대적 관점을 비교함으로써 영유아교육의 발전 양상을 알 수 있다.

　과거에는 여성에게 영유아의 양육에 대한 절대적인 책임을 부과했고, 영유아는 신체적 보호가 필요한 무력한 존재라고 생각했다. 따라서 불가피한 상황에서 보육시설이나 대리모에게 영유아의 양육을 맡길 경우, 영유아와의 교육적 상호작용은 거의 없이 단순한 신체적인 보살핌을 위주로 한 보호적 기능이 강화되었다.

　하지만 1950년대에 보울비(J. Bowlby)는 어려서부터 어머니와 격리되어 시설에 수용된 영유아는 인지적 결함과 정서적 장애 등의 문제점을 갖게 되어 성장 후에 '사회적 문제아'가 될 것이라는 애착이론을 주장했다. 애착이론이 영향력을 얻게 되면서 기존의 가치관이 변화했는데, 영유아는 자신과 타인을 통제하며 그들의 세계에 적극적으로 참여하며 성인들과 상호작용을 하며 행동방식을 조정하며 성장해 가는 존재라고 보기 시작했다.

　또한 현대의 주요 교육자의 한 사람인 프뢰벨(Frobel)은 어린이를 누구나 인간으로서 살아가는 데 필요한 능력을 갖춘 존재로 여기며, 전체적인 능력을 구성하는 하위 요소들 간의 배합 비율의 차이로 개인차가 나타난다고 보았다. 그리고 이런 능력을 조금씩 발휘하므로 영유아를 'Unfolding, Developing, Emergent'라고 부르기도 했다. 따라서 타고난 내재적인 생명력이 적절한 환경과 조화를 이룰 때 어린이의 발달이 가장 잘 이루어진다고 했다.

　이 외에도 커리스(Curris)는 현대에는 교육과 보호 중 어느 것이 더 중요한가를 논하기보다는 '어떻게 해야 더욱 질적으로 좋은 프로그램을 투입하느냐'에 대한 논점으로 귀결되어야 한다고 했다. 카탈도(Cataldo)는 교육과 보호는 분리되어 일어나는 것이 하니라 통합된 것으로 보아야 한다고 했으며, 하투그(Harttug)는 지역사회의 부모와 어린이를 위한 모든 활동을 유아교육이라고 칭하므로 보육과 교육에 대한 용어를 구분하지 않고 사회적 맥락에서 교육·보호를 생각해야 한다고 했다.

이러한 학자들의 연구를 통해 자녀의 보호와 교육에서 모자 애착의 관계를 중시하던 전통적 사고방식은 점차 부부가 공동으로 자녀의 보호와 교육을 책임져야 한다는 사고로 전환되었다. 또한 영유아교육의 책임자를 여성 개인이나 개별 가정으로 한정하지 않고 대리모나 보육시설 및 교육기관으로 확대하려는 노력이 시도되었다. 따라서 현재의 교육 시스템은 아동의 '보호받을 권리' 및 '잠재력'을 최대한 발현시킬 수 있는 기회를 제공하는 것을 강조하는 방향에서 교육과 보호를 통합하는 것으로 나아가고 있다.

더불어 '저소득층 영유아 대상의 보육시설의 효과에 관한 연구'에서는 직업을 가진 어머니의 경제적 지위와 자긍심과 만족감을 높이기 때문에 부모와 어린이 간에 더욱 질 높은 상호작용을 가능하게 할 것이라고 했다. 연구의 구체적인 결과에 따르면 지적 능력의 저하는 저소득층 자녀들에게 작용하는 위험부담 중 하나인데, 보육시설에서의 아동과 성인 간의 언어적 상호작용은 이를 막을 수 있는 가장 중요한 요인이었다. 또한 운동 기능 및 신체 발달의 측면에서 혜택받지 못한 아동들을 위한 보상교육과 기능을 수행하고 있었으며, 사회적 관계와 사회성 발달 면에서도 보육시설에 다니는 아동은 가정에서 지내는 영유아보다 더 많은 동료와 상호작용하고 여러 또래들과 접촉함으로써 긍정적인 영향을 받은 것으로 알려졌다.

또한 1990년을 전후로 영유아 프로그램의 질적 수준을 검토하거나 평가하려는 노력이 시도되어 영유아교육은 신체적으로 보살펴 주는 보호적 기능만이 아니라 양질의 교육 서비스를 제공해야 한다는 인식이 증가하고 있다.

2. 교육과 보호의 개념

영유아 '보호'란 도움을 필요로 하는 가정의 아동에게 단순히 신체적 보호만을 제공하는 복지 서비스를 의미하는 반면, 영유아 '교육'은 유치원과 같은 교육기관의 고유 기능을 뜻한다. 엄밀한 의미에서 보호와 교육은 서로 다른 개념이지만, 많은 부분이 중첩되므로 통틀어 '영유아에게 해줄 수 있는 서비스'라고 할 수 있다. 스포덱과 사라초(Spodek & Saracho, 1992)는 보호와 교육을 구별한다면 영유아가 보육시설에 다니면서 교육 서비스를 받지 못하게 되므로 발달에 심각한 위험을 초래할 수도 있다고 했다.

영유아교육 대상이 주로 3~5세의 유아라면, 복지적 관점에서 서비스 기능은 영유아 자녀를 둔 부모들의 요구에 그 초점이 맞추어진다. 하지만 영유아기는 아동기나 청소년기 발달 시기에 비해 건강, 안전, 영양 등 신체적 · 정신적 측면에서 어른의 보호가 많이 요구되므로 보육시설에 있는 영유아도 발달 과정에 맞는 최적의 교육과 보호를 받아야 한다.

3. 유아교육과 보육의 법적 비교

1) 유아교육

유아교육시행령(안)(2006년 12월 현재)은 국가인적자원 관리 체제의 기본 틀을 유아 단계부터 체계화하고, 유아의 교육에 대한 공교육 체제를 마련하기 위한 것으로 유아교육법에서 위임한 사항과 그 시행에 필요한 사항을 정한 것이다.

유아교육시행령(안)에는 체계적인 육아 지원정책 추진을 위해 국무총리 산하에 유아교육 · 보육위원회의 구성과 운영에 관한 사항이 포함되어 있다. 이는 유아교육을 담당하고 있는 교육인적자원부, 보육을 담당하고 있는 여성가족부 등 관계 부처 간 협의 조정을 통한 것으로 주요 내용은 다음과 같다.

- 유아교육에 대한 정책 · 사업 등에 관한 사항을 심의하기 위해 교육인적자원부와 시 · 도 교육청에 두는 유아교육위원회의 구성 · 운영에 관한 사항을 규정한다.

- 유치원 종일제 확대를 통한 학부모의 사회·경제적 활동을 지원하기 위해 종일제를 운영하는 유치원에 대해서는 교사를 추가로 배치하고, 교육환경 개선비, 인건비 및 교재 교구비 등을 지원할 수 있도록 한다.
- 유치원 교사들의 사기 진작과 책임감 있는 업무 처리를 위해 3학급 이상의 유치원에 1인 이상의 보직교사를 둘 수 있도록 한다.
- 교육인적자원부 장관 및 교육감이 사립유치원 설립비, 사립유치원 교사의 인건비 및 연수경비 등을 사립유치원에 지원할 수 있는 법적 근거를 마련한다.
- 그 밖에 유치원의 설립, 운영, 교직원, 유아교육 진흥에 관한 사항 등 유아교육 관련 조항을 체계적으로 정비한다.

최근 들어 '유아교육법'에 신설된 조항은 다음과 같다.

- 유아교육법은 초·중등 교육법과 유아교육진흥법의 유치원 및 유아교육 관련 조항을 체계적으로 정비한 것으로 유아교육에 적합한 독립된 기본법이다.
- 유아교육 보육위원회, 중앙유아교육위원회, 유치원 급식, 사립유치원 경비 보조 의무화, 종일제 운영 지원 등에 대한 내용을 포함한다.
- 교육인적자원부의 향후 계획은 만 5세아 무상교육 완성, 저소득층 만 3·4세아 교육비 지원, 종일반 운영 지원, 사립유치원 재정 지원, 시행령·시행규칙 제정에 만전을 기하고, 관련 예산 확보에 적극 노력하는 것이다.

2) 보육

2005년 1월 30일에는 영유아보육법이 개정 시행되었다. 개정된 영유아보육법에서는 직장 보육시설의 설치 의무대상이 확대되었으며 보육시설 종사자의 경력 증명을 발급하는 기관이 변경되었다. 또한 보육시설 종사자의 전문성 제고를 위해 자격기준이 강화되었으며 보육교사 국가공인 자격증 제도가 도입되었고, 보육시설의 설치 기준이 강화되었다. 그 외에도 개정의 주요 내용과 개정 사유는 다음 표와 같다.

주요 내용	개정 사유
국무총리 소속하에 보육정책조정위원회를 신설하고, 보건복지부에 중앙보육정책위원회를, 그리고 지방자치단체에 지방보육정책위원회를 설치함.	보육정책에 관한 관계부처 간의 의견을 조정하고, 보육에 관한 각종 정책·사업·보육지도 등을 심의하기 위함.
보육시설의 종류에 법인보육시설 및 부모협동보육시설을 포함함.	현행 민간보육시설에 포함되어 있던 법인시설은 정부지원시설로서 일반개인시설과 차별화되므로 별도의 유형화가 필요하며, 공동육아제도 활성화의 법적 근거를 마련하기 위함.
보육시설 설치·운영 시 시장·군수·구청장의 인가를 받도록 함.	현재 신고로 되어 있는 보육시설의 설치에 대해 인가를 받도록 함으로써 시설의 질적 수준을 향상하기 위함.
직장보육시설 설치 의무화 사업장에 대해 지역의 보육시설 위탁체결을 할 수 있도록 함.	직장 근로자가 이용할 수 있는 직장보육시설 설치 및 운영을 활성화하기 위함.
보육교사에게 여성가족부 장관이 검정·수여하는 자격증을 부여하고 등급을 1, 2, 3등급으로 나눔.	보육교사에게 국가공인자격증을 부여함으로써 교사 자격에 대한 체계적인 관리와 질적 수준을 향상하고자 함.
국공립 및 법인 보육시설과 기타 대통령령이 정하는 보육시설의 장은 영아-장애아 등에 대한 보육을 우선적으로 실시하고자 함.	보육수요 충족률이 낮고 민간에서 보육을 기피하고 있는 영아-장애아 등 취약보육을 활성화하기 위함.
국공립 및 법인 보육시설과 기타 대통령령이 정하는 보육시설 장은 국민기초생활보장법에 의한 수급자와 보건복지부령이 정하는 저소득층의 자녀가 우선적으로 보육시설을 이용할 수 있도록 함.	저소득층 자녀에 대한 보육의 우선 제공을 통해 저소득층의 취업을 활성화하고 자녀양육에 대한 부담을 완화함.
국가 및 지자체가 보육시설의 설치, 보육교사의 인건비, 초과보육 운영경비 등 운영에 소요되는 경비를 전부 또는 일부를 보조하도록 함.	보육시설에 대한 경비 지원을 통해 보육 사업을 활성화하고 국가의 공적 책임을 강화함.

주요 내용	개정 사유
여성가족부 장관은 보육시설에 대한 평가 인증을 실시할 수 있도록 함.	보육시설에 대한 평가를 통해 보육시설의 자율적인 서비스 개선 등 보육서비스의 질적 수준을 향상하기 위함.
보육비용의 보호자 부담 원칙을 삭제하고 국가와 지방자치단체가 저소득층 등의 보육비용을 부담토록 하되, 지원은 소득수준 · 거주지역 등에 따라 차등화할 수 있음.	보육에 대한 국가 및 지방자치단체의 책임을 강화하고 차등보육료 지원제도 실시의 법적 근거를 마련함.
보육시설의 장 또는 보육교사의 위법, 부당, 과실, 교육 불이행 등에 대해 자격을 취소 또는 정지할 수 있도록 함.	보육시설의 장과 보육교사가 보육서비스를 제공함에 있어 법을 준수하도록 하고 효과적으로 자격을 관리하기 위함.

　이와 같이 개정된 영유아보육법은 유아교육법이 제정되고, 보육시설들이 질적으로 한 걸음 더 나아가는 계기를 마련했다는 것에 의의가 있다.

　하지만 유아교육법이 제정되는 과정에서 마찰도 일어났는데, 법조항 문구에 '보호'라는 용어의 사용을 두고 보육시설과 적지 않은 갈등을 빚다가 결국 삭제하는 것으로 합의를 본 실례가 있다.

　유아교육의 발전을 위해서는 현재 이원화되어 있는 기관들이 합리적으로 통합될 수 있는 방안을 찾고 우리의 미래인 유아를 위한 바람직한 정책을 세우며 체계적인 교육 프로그램을 개발해야 한다.

영유아 발달의 기초

학습목표
- 영유아기 발달의 기초에 대한 개념을 이해할 수 있다.
- 발달에의 다양한 쟁점을 이해하며 발달에 대한 자신의 의견을 확립할 수 있다.
- 영유아기의 발달과 유아교육에 대한 이해를 높일 수 있다.
- 0~4개월, 4~8개월 영아의 발달에 대한 개념을 파악할 수 있다.

1. 발달의 기초

현재까지 유아교육연구 분야에서 이루어진 많은 연구를 통해 우리는 유아가 어떻게 발달하고 학습하는지에 관한 정보와 함께 영유아기는 특정한 환경의 자극에 민감한 반응을 보이며 성장과 발달이 활발하게 이루어지는 시기라는 것을 알게 되었다. 또한 최근의 많은 연구들을 통해 그 동안 수동적인 존재로만 과소평가되었던 영아들이 사실은 상당한 능력을 가지고 있다는 것이 밝혀지면서 영유아의 발달적 특성을 고려해야만 질적으로 우수한 프로그램을 운영할 수 있다는 의견이 주목받고 있다.

본래 영유아기 발달의 연구목적은 수태에서 유아기까지의 연령에 따른 발달의 변화를 기술하는 것이며, 왜 그러한 변화가 일어나는지 그 이유를 설명하는 것이다. 그러나 최근에는 발달적 변화 자체보다는 그러한 변화를 가져오는 유전적·환경적 요인 및 관련 과정을 밝혀내는 데 중점을 두고 있다. 궁극적인 목표는 이러한 연구결과를 아동복지의 증진과 삶의 질을 높이는 데 적용하는 데 있다고 할 수 있다. 따라서 새로운 영유아 프로그램의 개발과 평가를 위해서는 영유아 발달에 관한 선행연구들을 고찰하는 것이 먼저 이루어져야 할 것이다.

1) 영유아 발달의 기원

영유아 교사는 유아의 발달 특성에 대한 지식을 기초로 유아의 요구를 충족시키는 교육 프로그램을 계획할 수 있으므로 이에 대한 이해는 매우 중요하면서도 기본적인 과업이라고 할 수 있다.

영국의 철학자 로크(Locke, 1632~1704)는 아동이 선천적으로 선하거나 악하게 태어나는 것이 아니라 '백지상태(Tabula Rasa)'로 태어나므로 경험에 따라 변화될 수 있는 존재이며, 지능과 성격에 있어 개인차를 가진다고 주장했다. 따라서 경험은 아동이 이미 습득한 지식과 새로운 지식을 연계시켜 발달을 이끄는 주 요소가 되며, 타인의 행동양식을 모방, 반복하는 것도 역시 중요하다고 보았다. 한편 아동을 양육할 때 신체적 체벌을 가하는 것은 그 기준이 아동의 내적인 것에 있지 않기 때문에 비효율적이며 칭찬과 인정의 방법을 활용할 것을 제시했다. 이러한 로크의 철학은 현대 행동주의 심리학의 기초를 다지는 데 도움을 주었다.

'아동교육의 아버지'라 불리는 루소(Jean-Jacques Rousseau, 1712~1778)는 유아를 '고결한 야인(Noble Savage)'이라고 칭하며 타고날 때부터 선하고 추론능력과 도덕적 구별능력을 가지고 태어나는 존재라고 보았다. 중세의 사고관이 지배적이던 당시의 아동관은 아동을 단지 크기만 작은 성인이라 여겼으나 그는 아동이란 성인과 엄밀히 다른 존재임을 강조했다. 따라서 유아기의 발달상태를 고려한 자연적 성숙과 인간 발달의 4단계, 즉 영아기, 유아기, 아동기, 성인기의 개념을 최초로 주장했다. 그가 주장한 '성숙'이란 환경의 자극이나 성인의 가르침보다는 하나의 유기체인 아동의 내적인 생물학적 시간표에 따라 발달이 이루어지는 것을 의미한다. 또한 발달은 단계에 따라 다르게 진행되며, 일정한 단계마다 다른 방식으로 세상을 경험하면서 이루어지는 독특한 행동패턴이 있다. 이러한 루소의 이론은 현대 발달이론의 개념적 기초를 마련했다는 의의가 있다.

다윈(Charles Robert Darwin, 1809~1882)은 '성인의 축소판으로서의 유아'라는 사고가 지배적이던 당시에 '발달하는 존재로서의 유아'를 내세우며 아동관의 개념에 혁신적 변화를 가져왔다. 또한 그는 유아의 개인차와 환경에 적응해 가는 인간의 행동을 강조하며 유아 연구방법에 있어 과학적 관찰을 강조하고 보다 체계적이고 과학적인 아동 발달 연구방법의 기초를 마련했다.

2) 발달의 원리

발달이란 유아의 연령이 증가하면서 나타나는 모든 변화의 양상과 과정이며, 모든 변화는 유전과 환경에 기초하여 일어난다. 발달에는 일정한 순서가 있는데, 앉은 다음에 서게 되는 것이나 옹알이를 한 다음에 말을 하는 것이 그 예이다. 또한 발달은 일정한 방향으로 진행되는데, 머리에서 발 방향으로 발달이 진행되는 '두미 발달의 원칙'과 안에서 바깥쪽으로 발달이 진행되는 '근원 발달의 원칙', 일반적인 것에서 특수한 것으로 발달이 진행되는 '세분화 발달 원칙'이 있다.

또한 발달은 계속적 과정이지만 신체가 급속도로 성장하는 시기가 있는 반면, 심리적 발달이 급속도로 이루어지는 기간이 있는 것처럼 그 속도는 일정하지 않다. 하지만 이러한 발달에는 개인차가 있어서 그 속도와 양상은 제각기 다르다. 또한 발달의 각 영역인 생물학적 발달, 인지적 발달, 사회정서적 발달은 상호 밀접한 연관이 있다.

3) 발달의 영역

발달은 대체로 생물학적 발달, 인지적 발달, 사회정서적 발달 이렇게 세 영역으로 이루어지며, 이 세 영역은 서로 밀접한 영향을 주고받는다. 생물학적 발달은 신체 변화와 관련된 것이며, 인지적 발달은 개인의 사고, 지능, 언어상의 변화를 포함하고, 사회정서적 발달은 대인관계, 정서, 성격의 변화, 사회적 환경의 변화를 포함한다.

발달의 세 영역과 주요 내용은 다음 표와 같다.

영역	주요 내용	제기되는 질문
생물학적 발달	• 뇌와 신경계, 감각능력 등이 행동에 어떤 영향을 미치는가를 연구함.	• 아동의 성을 결정하는 요인은 무엇인가? • 조산의 장기적인 효과는 무엇인가? • 모유의 이점은 무엇인가?
인지적 발달	• 학습, 기억, 문제 해결 능력, 지능 등을 포함하는 지적 능력에 관해 연구함.	• 유아가 기억할 수 있는 최초의 기억은 어떤 것인가? • TV시청의 효과는 어떤 것인가? • 이중 언어의 이점은? • 청년기의 자기중심성은 청년이 세상을 보는 시각에 어떤 영향을 미치는가?
사회 정서적 발달	• 성격의 안전성과 변화, 대인 관계, 사회적 관계의 성장과 변화 등에 관해 연구함.	• 신생아는 어머니와 그 밖의 사람들에게 다른 반응을 보이는가? • 아동을 훈육하는 가장 좋은 방법은 무엇인가? • 청소년의 자살 원인은 무엇인가?

4) 발달의 단계

발달의 단계 중 유·아동기의 발달은 다음 표와 같이 태내기, 영아기, 유아기, 아동기 네 단계로 나뉠 수 있으나, 연령 범위는 상당히 융통성이 있다.

단계	주요 발달 현상
태내기(수태 후 출생)	• 기본적인 신체 구조와 기관이 형성됨. • 신체의 성장이 일생 중에서 가장 빠른 속도로 이루어짐. • 태내 환경의 영향을 크게 받음.
영아기(0~2세)	• 신생아는 의존적이기는 하지만 나름대로 많은 능력을 가지고 있음. • 출생 시 모든 감각기관이 작용함. • 신체의 성장과 발달의 속도가 매우 빠름. • 학습능력과 기억력이 신생아기에도 형성됨. • 첫돌 무렵에 부모에 대한 애착이 형성됨. • 다른 아동에 대한 관심이 증가함.
유아기(2~6세)	• 운동기술과 체력이 신장됨. • 자기중심적임. • 인지적 미성숙으로 인해 세상을 보는 눈이 비논리적임. • 놀이, 창의력, 상상력이 풍부함. • 자율성, 자기통제력이 증가함. • 친구의 중요성이 증가하지만 가족이 여전히 생활의 중심이 됨.
아동기(6~11세)	• 신체의 성장이 느려짐. • 체력과 운동기술이 더욱 더 신장됨. • 유아기의 자기중심성이 사라짐. • 기억력과 언어기술이 증가됨. • 자아개념이 발달함. • 친구가 생활의 중심이 됨.

2. 영유아 발달의 쟁점

인간의 발달이란 세상에 태어난 후 죽음에 이르기까지 전 생애에 걸쳐 지속되는 하나의 과정이며, 각각의 시기는 전 생애 발달을 선으로 나타낼 때 분리된 것이 아니다. 따라서 인간 발달에 제기되는 몇 가지 쟁점은 다음과 같다.

쟁점	제기되는 문제
발달의 본질	• 발달 과정에 영향을 미치는 주요한 원인은 무엇인가? → 유전인가? 환경인가?
발달을 유도하는 과정	• 발달의 주원인이 되는 중요한 과정은 무엇인가? → 성숙인가? 학습인가?
발달의 결정적 시기	• 발달에는 결정적 시기가 있는가? • 결정적 시기는 발달 속도와 어떻게 관련되는가?
발달의 형태	• 발달은 점진적이고 계속적인가? • 혹은 비역적인 단계로 이루어지는가?
초기경험과 후기경험의 중요성	• 발달에 있어서 초기경험이 중요한가? • 후기경험이 중요한가?

발달의 본질에 관해 유전과 환경만큼 끊임없는 논쟁을 일으키는 것도 없다. 그러나 심리학자들은 환경적 요인과 유전적 요인 중 어느 것이 더 중요한가를 논하기보다는 서로 어떻게 상호작용하느냐에 관심이 있다. 인간 발달은 유전과 환경의 상호작용이라 할 수 있으며, 사회는 각 개인의 유전적 잠재력이 최대한 발휘될 수 있도록 조건과 상황을 조성해야 한다.

발달을 유도하는 과정에 관한 쟁점에서 성숙론자들은 부정적 환경이 인간 발달을 저해하는 중요 요인이 될 수 있지만, 근본적으로 성장은 성숙에 의존한다고 주장한 반면, 학습론자들은 경험이 발달에 중요한 요소라고 강조했다.

또한 발달의 변화 속도에 관심을 갖게 되면서 생기게 된 쟁점들은 결정적 시기가 정말로 존재하는가이다. 유기체를 둘러싸고 있는 내적, 외적 이벤트들이 발달에 절대적으로 영향을 미치는 짧은 기간을 결정적 시기라 정의한다. 따라서 결정적 시기를 인위적으로 조건화하여 관찰하는 것은 윤리적 문제가 발생할 수 있다.

발달의 형태가 무엇인가에 관한 쟁점에서 행동주의적으로 접근한 이들은 점진적이고 연속적인 과정으로 보며 성숙을 강조했고, 이와 대조적으로 단계 이론가들은 발달이라는 것은 하나의 정해진 순서대로 질적으로 서로 다른 단계들로 구성되므로 불연속적인 각각의 과정이라고 보았다.

초기 경험과 후기 경험의 중요성에 대한 논쟁에서 전자는 인생이 계속되는 여정이기에 한 개인의 심리적 특성은 근원을 거슬러 올라가 조사함으로써 알 수 있다는 신념에 기인한다고 보았다. 반면 후자는 인간 발달은 유아기의 경험 이후 불변하는 것이 아니라 끊임없이 변한다고 주장한다. 또한 전 생애 발달론자는 인간 발달의 양상을 전 생애에 초점을 맞추고 지금까지 후기 경험의 중요성이 지나치게 간과되었다고 주장했다.

3. 발달의 이해와 유아교육

교사가 영유아를 교육하기 위해서는 사전에 그들의 발달에 대한 이해가 충분히 이루어져야 한다. 앞에서도 언급했듯이 영유아의 발달은 다양한 발달 영역들이 상호 연관 속에서 통합되며 이루어진다. 이러한 발달의 특성을 교육활동에 적용할 때 유아의 발달이 통합적으로 발달할 수 있도록 통합 교육과정을 계획하고 실행, 평가해야 하며, 이것 역시 통합 교육과정의 개념에 포함된다. 즉 일과의 모든 활동 속에서 발달과 흥미, 교과영역이 통합되도록 해야 한다.

또한 영유아의 성장과 발달은 끊임없이 진행되며 일정한 순서와 유사한 패턴을 보인다. 따라서 유아의 성장과 발달에 대한 평가를 할 때에는 발달적으로 적합한 기준을 적용해야 한다. 뿐만 아니라 교사는 민감한 관찰과 다양한 평가 전략을 통해 영유아 발달의 계속적이고 순서적인 특성을 알아야 한다.

영유아의 발달에 있어서는 유아–유아뿐 아니라 유아 개인의 내적 발달 영역에서도 차이가 나타난다. 유아 개인의 신체적 특성과 가족, 교육기관, 지역사회 등이 발달에 영향을 미치므로, 교사는 개별 유아와 그룹 내의 흥미, 기술 수준을 최대한 고려해야 한다.

그런데 이러한 발달과정에는 주요한 발달과업이 축적되어야 할 결정적 시기가 있다. 결정적 시기는 발달과정 중에서 환경의 영향을 가장 크게 받는 특정한 시기로 행동의 발달속도가 가장 빠르게 이루어진다. 영아기에는 어머니를 통한 수유가 생리적 만족을 주므로 이를 통한 신뢰감의 형성과 격리에 대한 적절한 불안감 등이 주요한 과업이 된다. 영아가 걷기 시작할 무렵에는 지각운동과 언어 발달이 이루어지면서 접촉하는 환경의 범위가 넓어지게 된다. 따라서 자립심을 획득하며 사회의 요구를 따르고 행동해야 하는 과업이 있다. 유아기에는 부모와의 동일시와 모방의 과정을 통해 다양한 사회적 역할을 수용하고 불안감에 대해 방어하는 행동이 억압되어서는 안 된다. 또한 이 시기에는 다양한 발달 영역의 특성과 공격행동, 의존행동, 성취행동, 우정의 지속, 인지 발달의 표상성 등이 나타나기도 한다.

유아의 발달 중 자아존중감과 유능감은 부모와 교사의 지지적 환경 내에서 최상으로 이루어질 수 있다. 따라서 이 시기의 교사는 유아를 위해 효율적 역할을 수행해야 한다. 즉 유아가 안정감을 얻고 환경을 탐색하며 자유롭게 질문할 수 있도록 가정과 기관의 상호 연계를 구축하기 위해 애쓰고 그 일에 가치를 느낄 수 있어야 한다.

마지막으로 유아는 외부와 접촉이 단절된 곳에서 발달하는 것이 아니라 끊임없이 변화하는 사회적, 문화적, 생태학적 맥락 내에서 발달하는 존재이다. 따라서 교사와 부모는 유아가 순조롭게 발달할 수 있는 환경을 만들어 가는 일에 책임을 가져야 한다.

4. 0~36개월 영아의 발달과 교육

영아는 월령마다 발달차이가 크므로 그에 적합한 환경과 교육이 이루어져야 한다. 0~4개월 영아기는 사물을 입으로 인지하는 시기이다. 따라서 모든 교육활동 자료가 안전하고 도전적이며 위생적이어야 하므로 삼킬 수 없는 크기에 표면이 무독성으로 칠해져야 한다. 또한 장난감의 모서리는 피부나 눈을 찌르지 않아야 하고 쉽게 닦거나 소독할 수 있어야 한다. 손잡이는 흔들리지 않고 영아가 물거나 흔들고 던지더라도 견딜 수 있도록 견고해야 한다.

영유아의 발달을 촉진시키기 위해서는 교사의 전략적 교육방식이 필요하다. 생후 4개월까지의 영아는 신체발달이 빠르게 이루어지는데, 출생 시부터 반사운동을 시작하며 근원 발달의 원칙에 따라 머리와 목을 움직이는 것부터 시작하여 어깨, 등, 허리, 다리 등 신체 여러 부분의 근육을 조작하게 된다. 뿐만 아니라 보고, 듣고, 냄새를 맡고, 맛보고, 만지는 변별력이 증가하게 된다.

영유아의 정서발달은 생후 첫 달 동안 기본적인 안정감이 형성되면서 이루어지므로 이 시기에 안정감이 발달되지 못하면 성장하는 데 어려움을 겪게 될 가능성이 크다. 따라서 교사는 영아의 기본적인 안정감을 발달시키기 위해 신뢰를 바탕으로 한 관계를 맺고, 긍정적 경험을 제공하는 역할을 해야 한다. 따라서 교사는 영아의 문제와 요구에 즉각적으로 반응하고, 일관성 있는 태도를 지녀야 한다. 또한 영아마다 다른 특성을 인정하고, 발달수준에 맞는 기대를 하고 반응을 하며 부드럽고 따뜻한 신체적 접촉을 통해 감정을 전달한다. 영아의 눈과 자주 마주치고 만져 주며 영아가 자기 자신에 대해 배울 수 있도록 시간을 계획하고 자료를 선택하도록 배려하는 것은 영아가 긍정적인 사회적 관계를 수립하는 데 도움을 줄 수 있다.

피아제(Piaget)의 인지발달 이론에 의하면 생후 4개월간은 감각운동적 단계에 해당한다. 이 단계의 영아는 자신의 감각과 운동을 통해 정보를 획득하므로 교사는 인지발달을 증진시킬 수 있도록 영아의 행동을 반복, 강화시켜 주어야 한다.

언어는 자신이나 타인과의 의사소통을 위한 중요한 수단이다. 그러나 아직 말을 하지 못하는 영아는 울음을 통해 타인과 의사소통을 하는데, 이는 영아 수준에서의 언어적 표현방법이라 할 수 있다. 뿐만 아니라 영아는 자신의 입과 목을 이용하여 소리를 내는데, 교사는 아기의 소리에 다양한 자극을 주어 그러한 언어적 표현에 적극적으로 반응해 주어야 한다.

생후 4~8개월 된 영아의 교육활동 자료 역시 앞에서 언급했듯이 안전하고 위생적이어야 한다. 이 시기의 영아는 이전보다 손의 기술이 발달하지만 여전히 팔과 손 근육의 조절능력이 제한되어 있어서 자신의 의지대로 장난감을 조작하는 것을 어려워한다. 따라서 이러한 영아의 특성을 고려한 장난감은 영아의 집중력을 길러 줄 수 있다.

이 시기에도 영아의 신체발달이 급격히 이루어지는데, 뒤집거나 혼자 앉고, 자신이 의도하는 대로 사물을 잡아서 움직이거나 두드릴 수 있다. 이처럼 적극적으로 신체를 움직이지만 아직 근력이 약해 쉽게 피곤해질 수 있으므로 교사는 자주 자세를 바꿔 주도록 해야 한다.

뿐만 아니라 4~8개월 된 영아는 기쁨, 행복, 무서움, 좌절 등의 다양한 감정을 옹알이, 울음, 웃음과 같은 소리나 빠르게 발차기, 팔 움직이기, 들썩이기, 스스로 흔들기, 미소 짓기와 같은 신체적 움직임으로 나타내기도 한다. 따라서 교사는 영아가 다양한 정서를 자유롭게 표현할 수 있도록 정서를 인정하고 반응해 주어야 한다.

이때부터 영아는 부모와 교사에게 분명하고 강한 애착을 형성하는데, 이는 교사의 존재 여부, 일관성 있는 보호적 배려, 정서적 참여를 통해 강화될 수 있다. 또한 영아는 신체적 기술이 발달하며 스스로 움직일 수 있는 이동성이 증가하면서 또래나 주변 사람과 많은 상호접촉을 시도하게 되며 자신과 타인에 대한 개념을 구성하는 인지발달을 이루게 된다.

피아제(Piaget)는 인지발달 중 감각운동기 3기에 있는 영아는 자신과 사물의 개념을 분리하게 되면서 눈으로 보고 손으로 탐색하며 인지발달을 이루게 된다고 했다.

영아의 언어수단이라 할 수 있는 울음, 쿠잉(cooing), 옹알이는 언어를 생성하는 신체적 기제를 발달시키는 데 도움이 된다. 쿠잉 이후 아기들은 옹알이를 하게 되는데, 옹알이는 쿠잉에서 시작된 소리의 변화로 쿠잉과 기능적으로 큰 차이가 있다. 즉 쿠잉이 편안한 감정을 표현하는 기능이라면 옹알이는 근본적으로 소리 놀이에 가깝다고 할 수 있다.

아니스펠드(Anisfeld, 1984, 221~222)는 영아의 옹알이에 대한 연구를 통해 영아들이 자신이 우연히 낸 소리에서 소리를 발견하고 되풀이하여 생산한다는 것을 알게 되었다. 즉 영아들은 소리를 실험하고 변화를 주며 소리 놀이를 즐기는 것이다. 영아가 즐기는 소리 놀이는 다양한 자음과 모음이 섞이다가 주변의 성인들이 의미 있는 말을 반복하고 자극을 강화해 주면 의사소통에 필요한 언어적 옹알이가 되게 하는 것이다. 또한 이 시기 영아들의 옹알이는 소리의 자극뿐만 아니라 감정을 전달하는 수단이 되기도 한다.

영유아 발달과 학습

학습목표   – 연령별 특징에 맞는 영유아 프로그램의 구성방법을 이해할 수 있다.
– 개발된 연령에 적합한 영유아 프로그램을 파악할 수 있다.

1. 신체운동의 발달

19~36개월 된 영아는 이 시기의 신체발달 중 가장 커다란 특징인 걷기를 시작하게 되면서 이전과는 다른 관점에서 세상을 보며 전혀 다른 경험을 하게 된다. 또한 호기심이 최고조에 달하는 시기인 동시에 심리사회적으로 자율성이 확장되어 손을 이용해 자유롭게 환경을 탐색하는 등 새로운 기술을 빠르게 습득한다.

성장속도가 감소하는 듯하던 12개월 정도의 영아는 이 시기가 되면서 다시 급속한 신체발달을 이룬다. 체중은 출생 시의 4배 정도가 되며, 신장은 약 12cm 자라는네, 만 2세가 되면 출생 시와 비교하여 75% 정도가 증가한다.

'아기 지방질'은 생후 12개월경에 최고치에 이르렀다가 그 이후 감소하여 홀쭉해지며 상체보다 다리가 더 빠르게 자라서 민첩성이 향상된다. 또한 신체가 균형을 이루고 협응력이 발달하여 일어서기, 웅크리기, 앉기, 손 뻗치기, 똑바로 일어서는 활동을 안정적으로 할 수 있게 된다. 머리와 신체의 비율에서도 변화가 나타나는데, 가슴둘레가 머리둘레보다 좀 더 길어져 전형적인 아기의 외모가 조금씩 사라지기 시작한다. 치아도 왕성하게 발달하는데, 대부분의 유아는 2세 반이 되면 20개의 유치가 모두 형성된다.

또한 유아 개인에 따라 수면패턴이 나타나기 시작하며 평균 12시간 가량 수면을 취하게 된다. 이처럼 하루에 낮잠을 두 번 자는 것이 한 번으로 바뀌게 되므로 유아교육기관에서는 융통성 있게 일과를 계획해야 한다. 이를 위해서는 개별 유아에 따라 시간계획에 시차를 두어 일과를 운영하되, 점심시간이 끝날 때까지 깨어 있기 어려운 유아는 점심을 먹으며 졸 수 있으므로 아침과 점심을 미리 준비해야 한다.

16개월 정도의 영아는 스스로 음식을 먹기 시작하며, 2세의 영아는 여러 도구를 사용해 음식을 먹게 되고, 그에 대한 성공 여부는 스스로 음식을 먹으려는 동기에 많은 영향을 미친다. 따라서 음식을 제공할 때에는 유아의 편의와 성취감 제공을 위해 한 입에 들어가도록 작은 조각으로 잘라 주는 것이 좋다. 그러나 이 시기의 영아는 음식에 대해 일시적으로 무관심하거나 특정한 음식만을 선호하기도 한다. 이는 자율성이 증가하면서 나타나는 현상인데 적절한 영양섭취도 중요하지만 성인이 강제로 먹일 경우, 저항을 하고 좌절감을 느낄 수 있으므로 이는 바람직하지 않다. 무엇보다도 이 시기에는 영양이 균형 잡힌 간식을 지속적으로 제공하고, 새로운 음식을 맛볼 수 있도록 다양한 방법과 식단을 마련하는 것이 좋다.

일상생활 습관은 시행착오를 거치며 발달되므로 처음부터 깨끗하게 음식을 먹도록 요구하는 것은 어렵지만 유아 스스로 음식을 먹는 것은 독립심과 자율성을 발달시키는 데 중요한 영향을 미친다. 따라서 식사습관을 기르는 데 여러 문제가 따르지만 부모와 교사는 아동이 올바른 식사습관과 태도를 기르도록 노력해야 한다.

영아의 이유의 시기와 과정은 문화와 가정, 각 영아의 특성마다 다르기 때문에 교사는 이들 간의 개인차에 민감하게 반응하고 수용적 태도를 가져야 한다. 올바른 이유 식습관을 기르기 위해서는 부모와 적극적으로 논의하여 가정과 연계활동이 이루어져야 한다. 구체적 방법으로는 우유병보다 컵을 사용하게 하고, 우유병을 물고 교실을 돌아다니지 않게 하며, 잇몸이나 귀 감염이 우려되는 경우에는 취침 전에 절대로 우유를 제공해서는 안 된다. 이러한 이유 식습관을 형성하는 것을 어려워하는 영아에게는 영아가 스스로 한 일을 자극하고 격려하여 독립심과 자율성을 발달시키도록 한다.

배변훈련은 생리적으로 방광과 대장의 통제를 학습하는 것으로, 대부분의 영아는 생후 24개월경에 시작하게 된다. 배변훈련은 가정에서 먼저 이루어진 후에 부모와 교사 간에 긴밀한 의사소통과 협력관계 속에서 진행되는 것이 바람직하다. 배변훈련이 순조롭게 잘 이행되기 위해서는 우선적으로 영아가 젖거나 더러워진 기저귀는 자신이 한 일이라는 것을 이해하고 화장실에 가고 싶다는 의사를 표현할 수 있는 신체적 능력이 갖춰져야 하며 장운동과 소변빈도가 규칙적이어야 한다. 이 시기에 교사의 세심한 배려는 영아가 자신이 무엇을 해야 할지를 깨닫는 데 중요하므로, 교사는 일관성 있게 반응해야 한다. 따라서 교사는 일과 중 규칙적인 시간에 배변 여부를 물어 보고 간단한 옷은 영아 스스로 입을 수 있도록 격려해야 한다. 이와 더불어 영아가 배변시설에 쉽게 다가갈 수 있도록 시설을 마련하고 실수를 할 경우 이해하고 격려해야 한다.

하지만 배변훈련 시 교사가 강압적인 방법을 사용한다면 영아가 배변에 대해 저항심을 갖거나 자아존중감이 저하될 수 있으며 배변활동에 죄책감을 느끼는 등 부정적 영향을 줄 수 있다. 따라서 교사가 배변훈련 과정에서 긍정적 강화를 주는 태도는 영아의 자율성 발달에 매우 중요하다.

브라즐튼(Brazieltion, 1974)은 배변훈련이 진행될 때 영아가 자신의 발달속도에 따라 배울 수 있도록 교사가 기다려야 한다고 강조했다. 다른 발달과업과 마찬가지로 배변훈련의 과정이 영아의 정서 요구에 적합하지 않다면 그들은 배변훈련에 대해 부정적 감정을 갖게 될 것이다. 따라서 신체적으로 배변활동을 할 준비가 된 영아가 교사의 노력에 대해 심하게 저항한다면 자율성이 보장되지 않았거나 통제에 대해 저항하는 것일 수도 있으므로 세심하게 관찰해야 한다.

한편 이 시기의 영아들은 면역력이 약하므로 교사는 영아의 건강을 위해 민감하게 반응해야 한다. 걸음마를 시작한 유아를 돌보는 교사들은 손을 자주 씻는 습관이 매우 중요한데, 영아의 배변을 도와주기 전과 후, 기저귀를 갈기 전과 후, 음식을 만지기 전, 청소 후, 애완동물을 만진 후, 유아의 코를 풀어 주기 전과 후 등 그때마다 손을 청결하게 닦아야 한다. 수건과 기저귀, 침구는 유아 개인의 것을 사용해야 하며, 기저귀 갈이대는 늘 청결하게 유지하고, 사용한 휴지는 바로 버리도록 한다.

유아를 위한 개인 물품은 정기적으로 교환해 주고 장난감이나 놀이도구들도 청결하게 관리하며 활발하게 움직이는 보행기 유아의 특성을 고려하여 음식이나 우유병 등은 냉장고에 보관한다. 또한 유아에게서 쉽게 나타날 수 있는 질병의 증상을 정확히 알고 매일 아침 유아를 맞이할 때 목 등의 발진이나 눈물, 콧물, 눈이 풀림, 노곤한 행동 등을 보이는지 체크하며 이러한 증상이 나타났을 경우에는 신속하게 대처해야 한다. 그 후에 아픈 유아는 조용히 쉴 수 있게 하고 기관에서의 상황을 부모들이 잘 이해할 수 있게 명료하게 기록해 둔다.

보행기의 유아는 독립 의지와 호기심이 강하여 활동반경이 넓어지게 되므로 교사는 교실을 끊임없이 탐색·관찰하여 안전하면서도 유아가 실험을 자유롭게 할 수 있는 환경을 마련해 주어야 한다. 유아에게는 이러한 환경이 최적의 상태이므로 교실 안의 교구장과 자료들은 발달에 적합하고 견고하며, 색이 칠해져 있는 것은 무독성으로 구비해야 한다. 요람이나 유아용 가구는 소비자 보호 규정에 합당해야 하고 전기 제품에는 안전장치가 부착되어 있어야 한다. 카펫은 교실 바닥 전체를 덮는 것이 좋고, 카펫의 먼지는 자주 청소한다. 또한 전선 등이 늘어져 있거나 교구의 부품이 풀어져 있지 않도록 자주 점검해야 한다.

뿐만 아니라 안전한 환경을 위해서는 교육기관에서 정규적인 소방훈련 계획을 세우고 교직원의 훈련을 실시해야 한다. 비상시에 대비하여 비상 전화번호부와 구급 의약품, 소화기는 가까운 곳에 비치하고 모든 교직원은 사용법을 숙지해야 한다. 하지만 청소용품과 의약품은 유아의 손이 닿지 않는 곳에 두고 실외놀이터에는 유리조각과 같은 날카로운 것들이 없도록 하며 유해한 식물은 기관 안에 두지 않는다.

포겔(Fogel, 1984)은 19~36개월 시기의 운동발달의 특징을 표현(Expression), 탐색(Engagement), 실험(Experiment), 운동(Exercise)의 4E로 기술했는데, 이 시기의 가장 큰 특징은 끊임없이 움직인다는 것이다. 영아는 계속적으로 주변을 탐색하다가 잠시 멈춘 후 다시 이리저리 돌아보기 시작하는데, 3세 이후가 되면서 점차 감소하기 시작한다. 이러한 운동활동은 사회인지 측면에서 중요한 시사점을 준다고 할 수 있다.

또한 이 시기의 영아는 대·소근육의 발달이 이루어지면서 걷기와 계열성이 향상되기 시작한다. 대부분의 유아는 15개월 정도 되면 걷기의 기본 동작인 이동기술을 획득하게 되는데, 성인이 보기에 다소 불안해 보이더라도 성숙과 발달이 더 이루어지면 안정적으로 이루어지므로 기술을 직접 가르치기보다는 적절한 자극을 주는 것이 좋다. 이렇게 걷기를 배운 영아는 다른 대근육 기술이 발달하기 시작하는데, 이때에는 월령에 맞고 개인의 발달 스케줄에 맞는 활동을 지지해 주어야 한다. 또한 균형능력이 생긴 영아는 걸을 때 유연성과 균형감을 갖게 되어 신체적으로 안정성을 획득하고 서기, 앉기, 손 뻗기, 똑바로 서기 등을 할 수 있게 된다.

또한 물건을 놓고 던질 수 있으며, 옆의 난간을 잡고 계단을 위아래로 오르내릴 수 있다. 20개월 정도에는 넘어지지 않고 공을 찰 수 있으며, 24개월 정도에는 이전보다 움직임이 훨씬 더 유연해져 닥치는 대로 물건을 던져 보면서 자신의 조절능력을 실험하기도 한다. 생후 19개월이 넘어서면서부터는 소근육이 발달하면서 손가락과 손목 조정능력도 향상되는데, 24개월경이 되면 찌그러지고 끝이 맞지 않는 선을 긋던 영아가 수평선 긋기를 모방하기 시작한다.

따라서 교사는 영아의 운동발달을 돕기 위해 대근육 및 소근육 활동과 자조기술의 발달을 격려하고, 실외 대근육 활동 시 고정적으로 사용하는 손이 무엇인지 관찰하여 소근육 활동을 자극해 주어야 한다. 또한 다양한 자료와 도구를 마련하고 시간을 넉넉하게 배분하여 영아의 운동활동을 자극하고 신체활동에 있어 고정된 성 역할을 조장하지 않도록 주의한다.

2. 사회 · 정서의 발달

이 시기의 영아들은 자기 자신에 대해 긍정적 감정과 부정적 감정을 동시에 발달시킨다. 영아들은 자신의 행동에 교사가 어떻게 반응하는가에 따라 자신의 가치를 인식하게 된다. 또한 독립심과 자아감을 발달시키기 위해 노력하므로 교사와 부모를 포함한 주변 사람의 인내와 이해가 필요하다.

유아의 자율성과 의존성은 서로 보완하고 조화를 이루며 발달하는데, 브라즐튼은 이 시기를 '시행착오로 가득 찬 질풍노도의 시기'라고 언급하며, 자기통제학습과 타인에 의한 통제감 간의 갈등을 스스로 해결하려는 시기라고 했다. 즉 이 시기이 사회화 노력이 유아로 하여금 사회의 가치와 기준을 획득하도록 돕는 기초가 된다고 할 수 있다.

1) 정서의 발달

아이어(Eyer, 1989)는 이 시기의 영아는 자신의 감정과 행동을 인식하고 조정하는 법을 배우므로, 자아에 대한 조직화된 정서가 나타난다고 했다. 무엇보다 영아가 표현하는 긍정적이거나 부정적 정서는 모두 의도가 있으며 느낌 자체를 표현하는 것이 중요하므로 부모와 교사가 이를 받아들이는 태도는 매우 중요하다.

3세경 영아의 특징으로 정서를 표현하기 위한 사고가 발달되는데(Lamb & Bornstein, 1987), 그 이전에 이미 기쁨, 놀라움, 애정, 즐거움, 만족, 신뢰감과 같은 다양한 정서를 표현하기 시작하며 공포, 슬픔, 권태, 화남, 걱정, 무관심 등의 감정도 나타난다.

또한 자율성이 발달하는 과정에서 유아는 화를 울기, 소리 지르기, 치기, 던지기, 물어뜯기 등으로 표현하게 된다. 이는 유아가 좌절을 경험할 때나 배고플 때, 피곤할 때, 아플 때, 부모의 훈육이 일관성이 없을 때, 준비되지 않은 배변훈련을 할 때 자주 나타나므로 집단 활동을 위해 오래 앉아 있는 것을 피한다. 성인은 이와 같이 유아가 화를 내면 특별한 관심을 보이는데, 이것이 오히려 유아에게 화를 내는 것을 강화시키기도 한다. 하지만 화를 내는 행동은 만 2세까지 최고조에 달했다가 점차 감소하는 경향이 있다(Goodenought).

화내기와 더불어, 자신의 생각을 언어로 표현하기 어렵기 때문에 의사소통이 안 될 경우 떼를 써서 표현하기도 한다. 하지만 이와 같이 부정적 방법으로 자신의 요구를 나타내는 행동은 성인의 명료하고 일관된 반응을 통해 줄일 수 있기 때문에 유아의 요구에 일관적인 지도를 하는 것이 중요하다.

또한 사고의 발달이 성숙해지며 잠재적 위험에 대한 상상을 하게 되면서 낯선 것, 친숙하지 않은 사람에게는 두려움을 갖게 된다. 이는 사람에 대한 영속성의 개념이 없기 때문이며 교사는 유아의 공포에 대해 부끄럽거나 죄의식을 갖지 않도록 반응해 주어야 한다.

유아기의 걱정은 부모와의 격리, 새로운 사람의 출현과 주로 관계되어 있다. 2세 초에 나타나는 격리 불안은 안정적인 신뢰감을 형성한 부모와의 관계와 반응적인 교사의 행동을 통해 자연스럽게 대처할 수 있다. 또한 유아는 자신의 정서를 적절하게 표현하고 사회적으로 수용 가능한 방식으로 전달하는 것이 미숙하므로 교사는 이를 도와야 한다.

이 시기의 유아는 정서의 표현 정도를 통제하는 사회 규준을 잘 모르고 자아중심성과 같은 발달적 특성으로 인해 다른 사람의 입장이나 관점을 이해하는 것이 어렵다. 따라서 교사는 유아가 자신의 감정을 인식하고 모델링을 통해 사회적으로 용인될 수 있는 정도로 정서를 표현하도록 안내해야 한다. 또한 화를 내거나 두려워하는 것은 누구나 느낄 수 있는 감정이므로 유아의 감정을 타당한 것으로 수용한 후에 적절한 표현 방법을 선택할 수 있도록 지도하여 수치심과 죄책감이 아닌 자율감과 유능감을 갖도록 한다.

2) 자아개념의 발달

자아개념의 발달은 영아기부터 이루어지는데, 자아인식과 자아에 대한 지식, 자아의 특성 인식, 자아에 대한 심리 경험 등이 확장되면서 2세경에는 자아인식을 안정적으로 할 수 있게 된다.

보행기의 영아는 성차와 연령차, 자신과 다른 사람 간의 차이를 인식함으로써 정체성이 형성되며 다른 사람의 행위와 언어사용에 대한 이해가 확장된다(Fogel, 1984). 또한 2세는 낯선 상황에 대한 두려움이 크게 증가하지만 애착이 이루어진 성인을 통해 안전한 탐색을 할 수 있다.

이러한 자아개념의 구성요소에는 유능감과 소속감이 있다. 교사는 유아가 자신의 기술을 정교하게 다듬도록 실험하고 연습하도록 격려함으로써 유능감을 높이고 성취감과 자부심을 갖게 할 수 있다. 유아의 소속감은 또래 그룹에 속하기를 바라는 3세를 기점으로 나타나기 시작한다. 따라서 교사는 사회적 관계에 대한 이해를 통해 친사회적 특성과 편견이 없는 태도를 가질 수 있도록 해야 한다.

유아는 놀이를 통해 직접 배울 수 없는 것을 간접적으로 배우게 되며, 배움에 대한 긍정적 사고를 할 수 있게 된다. 이 시기의 유아는 자극이 풍부한 환경에서 탐색을 하지만 연령의 특성상 지속적으로 한 가지 놀이를 하는 시간은 대체로 짧은 편이다. 놀이의 형태는 또래와 의사소통을 하기보다는 단독놀이의 비율이 높으며 평행놀이의 형태도 나타난다.

3. 언어 · 인지의 발달

1) 언어의 발달

12개월 이후 영아는 사고, 언어, 행위 간의 상호작용을 통해 언어발달이 이루어지며 한 단어로 표현되는 일어문을 사용하게 된다. 1~2세의 영아는 사회적 세계와 물리적 세계와의 협응력이 증가하면서 수용하고 이해한 언어가 표현되고 산출되는 언어보다 더 많고 두 단어 발화가 이루어진다.

따라서 교사는 주제에 구애받지 않고 유아와 많은 이야기를 하면서 말하기를 확장시켜 주어야 하는데, 이때에는 유아가 말하는 것을 끊거나 다음 차례를 서두르지 말고 확산적 질문 등의 방법을 사용한다. 또한 행위 · 사물 · 사건 등에 이름을 붙이고, 놀이나 활동을 하며 다양한 개념을 나타내는 어휘를 사용한다. 이를 통해 유아는 자신이 언어를 배운다는 것을 상기하고, 교사는 유아의 강력한 언어 모델이 될 수 있다.

2) 인지의 발달

피아제는 보행기의 유아는 인지발달 단계 중 감각운동 후기(적극적 실험기)에 해당하며, 사물의 영속성 개념을 획득하고 모방능력의 향상과 사고의 시작, 인지적 시행착오, 지연모방과 상징화, 상징놀이를 하게 된다고 주장했다. 전 조작기의 유아는 전 개념기의 특성을 가지며 양과 관련된 단어를 사용하고 자기중심적 사고를 갖게 된다.

한편 비고츠키의 이론에 의하면, 이 시기의 유아는 인지발달이 이루어지면서 놀이와 모방이 증가하고 사물의 영속성 개념을 획득하며 문제 해결력의 증가, 재인 기억의 향상, 사물의 특성 인식, 타인의 관점 수용, 범주화의 초보적 형태, 친숙한 것과 낯선 것의 변별력, 제스처가 포함된 의사소통, 자아에 대한 이해 발달 등이 나타난다.

이처럼 이 시기의 인지발달은 발달의 매개요인이 점차 외부에서 내부로 전이 되는 과도기이며 감각운동적 기능에서 적응적 반응기로의 전이가 이루어지는 시기라고 할 수 있다. 따라서 보행기의 유아가 부모의 지시에 따르고 자신의 요구 충족을 지연할 수 있게 되는 것은 부모의 언어사용과 기대가 선행되었기 때문이다. 또한 비고츠키는 보행기 유아의 운동적, 인지적 조절력의 정도에 있어 나타나는 개인차는 외부에서 제공되는 부모와 교사의 민감하고 세밀한 반응, 허용, 격려 등과 밀접한 관련이 있다고 보았다.

3) 놀이

유아의 놀이는 발달단계마다 그 특성과 형태가 다양하다. 가장 먼저 나타나는 놀이유형은 감각놀이인데, 감각적 경험이 중요하며 상징적 놀이와 감각경험 놀이를 주로 한다. 따라서 이 유형의 놀이를 하는 유아에게는 감각 자극을 제공하고 사물이나 상황을 언어로 설명하고 명명화하는 경험을 제공해 주는 것이 좋다.

탐색놀이는 유아의 자발적 호기심이 증가하며 활동이 왕성하게 일어나는 시기에 나타나는 유형이다. 탐색과 발견으로 인한 동기가 다시 활동을 유발하고 이러한 활동이 반복되면서 일반화를 경험하게 되고, 이는 언어적 개념이 형성되기 이전에 행동적 개념을 형성하는 데 기초가 된다.

전 개념기는 언어 상징의 기능을 활용하는 능력이 서서히 발달하는 시기로, 상징으로서의 최초의 난화는 마음대로 움직여지는 일종의 근육활동이라고 할 수 있다. 이는 그림을 통해 무엇인가를 나타내려는 첫 시도이며 유아는 다른 상황을 표상하기 위해 상징놀이를 통해 언어를 활용하거나 가상적 행동을 취하기도 한다. 단어는 하나의 기호이며 상징으로 복합적 개념을 나타내므로 사실 언어 그 자체는 매우 상징적인 것이라 할 수 있다.

상징놀이는 유아의 내적 동기가 유발되어 시작하는 활동이므로 강제가 없이도 동화하도록 돕는 놀이이며 정서 표현, 이해, 갈등 해결에 필요한 양식을 제공해 준다. 또한 상징놀이는 현실적 자아를 경시하지 않으면서도 과거의 경험을 조망하게 하는 등 갈등이나 외적 규제로부터 자유롭다. 인지와 정의적 발달에도 매우 중요한데, 행복한 결론이 나는 놀이를 통해 애정을 시험적으로 표현할 수 있다. 이를 통해 사람과 사건을 다른 형태로 표상하는 능력과 자신의 정서를 더욱 정교하며 적절한 형태로 표현할 수 있다.

따라서 교사는 유아가 놀이에 몰두할 수 있는 시간을 충분히 주고, 상징놀이의 활성화를 위한 자료 및 도구, 상징놀이가 일어날 수 있는 상황과 공간을 조성해 주며 시범을 통해 상징놀이의 모델을 제공해 주어야 한다.

유아 스스로 문제를 찾아보도록 격려하는 것도 중요한데, 이는 인지발달에도 긍정적 영향을 미친다. 탐색, 감각놀이를 통한 문제해결 활동은 인지발달과 사회ㆍ정서 발달의 기초로 작용하는데, 낱말카드, 인쇄된 글자 익히기 등 반복해서 하는 연습은 이 시기의 유아에게 발달적으로 적합하지 않으며 오히려 부정적 영향을 끼칠 수 있다. 그러므로 교사는 모든 유아의 필요에 민감하고 반응적이며 발달에 적합한 환경을 제공해 주어야 한다.

영아 교육과정

학습목표　　－ 영아의 발달특성을 이해할 수 있다.
　　　　　　　　－ 영아교육의 바람직한 교사 모델을 익힐 수 있다.
　　　　　　　　－ 영아 교육과정에 영향을 주는 주요 요인을 알 수 있다
　　　　　　　　－ 영아교육에 적합한 교육활동 자료를 알 수 있다.

1. 영아 교육과정

영아를 돌보는 모든 과정은 영아 교육과정의 일부라고 할 수 있다. 따라서 기저귀 갈기, 수유, 씻기기, 얼러 주기와 같은 활동은 물론, 노래 부르기, 놀이하기, 보기, 움직이기와 같은 것도 교육과정과 같이 중요한 요소이다.

　보통의 성인들이 영아는 그들의 도움을 항상 받아야 하는 존재라고 생각하는 것과 달리, 영아는 적극적으로 교육과정에 참여하고 활동을 주도하며 교사가 자신에게 반응하도록 자극한다. 따라서 시설 내의 모든 활동이 영아 교육과정의 일부가 될 수 있다. 다음 사례를 통해 영아를 돌보는 모든 활동이 어떻게 교육과정의 일부가 되는지 구체적으로 살펴보기로 한다.

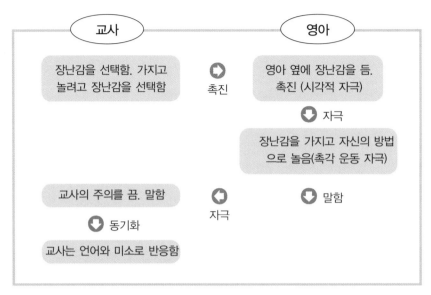

영아 교육과정을 개별화하는 교사-영아-교구의 상호작용의 예

　　교사는 4개월 된 희정이를 안고, 쓰다듬으며 노래를 불러 주고, 이야기를 하고 있다. 희정이는 젖병을 빨면서 교사의 블라우스에 장식된 꽃을 만지작거리며, 꽃과 단추, 자신의 손, 교사의 얼굴을 쳐다보고 있다. 그러다가 희정이는 우유 먹기를 멈추고 교사에게 옹알이를 하고 미소를 지은 후 또다시 우유를 먹고 교사의 블라우스를 쓰다듬고, 얼굴을 쳐다보고 교사의 이야기를 듣는다.

　　이 상황을 분석해 보면 희정이의 우유 마시기, 손 뻗치기, 꽃을 만지기 위해 손과 눈의 협응하기는 운동에 해당된다. 또한 희정이는 초점을 맞추거나 변경시키며 주의를 끄는 사물을 바라보고 자신에게 친숙한 교사의 냄새 맡기, 교사와 교사의 심장박동, 자신의 옹알이 소리, 자신과 교사의 숨쉬는 소리를 듣기도 한다. 뿐만 아니라 자기 자신에 대해 만족하고 감동하며 교사와 친밀감을 형성하고, 배고픔에 대한 것과 애정에 대한 욕구를 만족시키는 정서를 느끼고 있다.

이를 통해 희정이는 미소 짓기, 타인에 대한 친밀감 형성과 타인 수용하기, 타인과 상호작용하기 등의 사회성을 발달시킬 수 있다. 뿐만 아니라 교사의 블라우스에 달린 꽃이나 교사의 눈을 보며 세부적인 것에 주의집중하기, 한 가지 대상에 주의집중하다가 다른 대상으로 주의 옮기기 등의 인지발달과 듣기, 말하기, 타인의 말이나 노래에 반응하기와 같은 언어발달도 이루어지고 있다.

이렇게 희정이가 각 발달영역별로 활발한 발달을 이루는 데 있어서 교사는 관찰하기, 안기, 먹이기, 흔들어 주기, 말하기, 노래하기, 듣기 등의 매우 일상적인 행동을 취했음을 알 수 있다. 그렇다면, 이번에는 다음 사례를 통해 영아 교육과정에 영향을 주는 요인에 대해 자세히 알아보자.

> 생후 1개월 된 진수가 낮잠에서 깨어나 몸을 심하게 움직이며 울고 있다. 교사는 즉시 진수를 안아 주고 기저귀를 갈아 준 다음 우유를 준비하여 먹이면서 조용히 미소를 짓고 진수에게 이야기를 건넨다.

진수의 울기 등을 통한 반사적으로 움직이기, 움직임에 대한 조절을 시작하기는 신체발달에 해당하며, 고통 보여 주기, 진정하기는 정서발달 영역에, 울기는 언어발달에 속한다.

이때 교사는 진수의 울음소리를 듣고, 고통의 원인을 알아내며, 진수의 울음에 민감하게 반응하여 편안하게 해 주었다. 또한 진수의 스케줄(음식에 대한 욕구)에 반응하며 따뜻한 눈빛으로 진수를 바라보며 미소를 짓고 이야기를 통해 지속적인 상호작용을 시도했다.

이처럼 영아 교육과정은 영아의 신체, 정서, 사회, 인지의 발달을 통합적으로 향상시킬 수 있는 경험을 제공해야 한다. 따라서 교사는 영아의 모든 영역에서 발달을 촉진할 수 있는 총체적 영아 교육과정을 계획하고 운영해야 한다. 비록 모든 영아에게 적합한 교육과정을 만드는 것은 불가능하지만, 관찰을 통해 고려하며 계획하고, 동료 교사들과 기술과 정보를 나눔으로써 각 영아에게 적합한 교육과정을 계획할 수 있다.

2. 영아 교육과정에 영향을 주는 요인

영아 교육과정은 시설과 영아 담당교사의 철학, 영아에 대한 개념, 영아에 대한 이해 등의 영향을 받게 된다. 구체적으로 살펴보면 부모, 가정환경, 매스컴, 문화 등의 사회적 요인과 가정 보육시설인지 기관 보육시설인지의 여부와 보육시간 등 시설의 영향이 있다. 무엇보다도 모든 영아는 성장하고 발달하며 학습하고자 하는 내적 욕구를 가지고 있기에 영아의 다양한 행동 패턴들이 교육과정을 변화시킬 수 있는 큰 요소라고 할 수 있다.

3. 교육과정의 개발절차

교육과정의 개발절차에는 시설의 목적, 목표 선택, 적절한 방법의 결정, 자료의 선택, 목표달성에 대한 평가, 앞의 요소에 대한 피드백 수집, 필요할 경우 조정하기 등이 포함된다.

무엇보다도 교육과정 개발에 앞서 영유아 보육이 왜 필요한지에 대해 고찰해 볼 필요가 있다. 영아 교육과정은 영유아에게 지지적 환경, 자격 있는 종사자, 적절한 경험을 제공하여 영아의 신체적, 정서적, 사회적, 인지적 잠재력을 최대한으로 발달시켜 줄 수 있다. 또한 영아 자녀를 둔 부모에게는 자녀를 적절한 환경에서 양질의 보육을 받게 하고, 부모 역할에 대한 안내와 자료를 제공할 수 있다. 교사에게는 자신과 영아의 욕구를 만족시키는 환경을 제공하고, 긍정적 노력을 통해 가정의 욕구를 만족시키도록 촉진한다. 즉 영아 교육과정은 모든 인간을 발달하는 존재로 여기며 영아의 발달과 변화는 환경과 능동적 상호작용을 통해 이루어진다는 철학을 바탕으로 하고 있다.

교육과정은 교사의 교수방법을 통해 이루어지는데, 교수방법이란 교육과정이 실시되기 위한 과정 중의 하나이며 교사는 지식, 적용, 평가 요소를 갖춰야 한다. 지식 요소는 영아의 욕구에 대한 지식과 그에 따른 교사의 행동 및 전략을 연결시키는 다양한 방법에 대한 것을 의미한다. 이러한 지식을 갖춘 후에는 특정한 상황에서 영아의 욕구를 파악한 후 적절한 전략과 행동을 선택하고 수행하는 적용 단계와 그 방법이 영아의 욕구와 적합했는지 판단하는 평가 단계를 거치게 된다.

영아에 대한 보호와 교육의 필요성은 영유아 프로그램의 목적이며, 이는 교사의 자질과 임무와도 관련되어 있다. 프로그램의 목적과 교사의 임무는 다음과 같이 구분될 수 있다.

프로그램의 목적	교사의 임무
안전하고 건강한 학습 환경	안전하고 건강한 학습 환경을 제공하고 유지하기
신체적, 지적 능력	신체적, 지적 능력 향상시키기
긍정적인 사회 발달 및 정서적 발달	사회적 발달 및 정서적 발달을 지원하고 긍정적으로 지도하기
가족과의 긍정적이고 생산적인 관계	가족과의 긍정적이고 생산적인 관계 형성하기
잘 운영되며, 목적 있는 프로그램	영아 및 부모의 욕구에 반응하기
영아, 부모 및 동료와의 전문적인 관계형성과 전문성 발달	교사로서의 전문성을 유지하고 함양시키기

영아는 사물을 잡아 보고, 맛보고, 흔들고, 때리고, 던지고, 보고, 냄새 맡고, 듣는 것을 통해 지식을 구성하기 때문에 자료와의 상호작용은 교육과정에서 중

요하다. 하지만 좋지 못한 자료는 오히려 영아의 발달을 저해하므로 발달적으로 적합하고 안전한 자료를 선택하여 교육에 활용해야 하며 이러한 과정도 교육과정에 속한다.

교사는 교육과정이 각 영아에게 개별화되고, 균형 있고, 적절하며, 실제적이고, 프로그램의 목적과 목표를 담고 있는지 알기 위해 일과를 지속적으로 평가해야 한다. 평가는 형식적인 것과 비형식적인 것이 있으며, 영아의 행동을 기록하는 것은 평가를 위한 정보를 제공해 주기도 한다. 교육과정 개발의 마지막 단계는 피드백인데 각각 부모와 교사, 영아로부터 나온다.

4. 9~18개월 영아 교육과정

생후 0~36개월 된 영아는 스스로 움직일 수 있게 되어 환경과 접촉하는 부분이 확장된다. 이 시기의 영아는 자신이 만질 수 있는 모든 사물을 맛보고, 만져 보고, 움직여 보기 때문에 안전점검에 유의해야 하며 기기, 일어서기, 사물 던지기와 같은 대근육 운동의 조절능력을 발달시킬 수 있는 충분한 공간이 필요하다. 교육활동 자료 중 조작놀이 자료는 영아가 엄지손가락과 검지손가락을 이용해 집을 정도로 작은 것부터 손 전체로 잡을 수 있는 정도의 크기까지 다양한 것을 갖춰야 한다.

9~18개월 된 영아는 신체발달이 이루어지며 눈의 초점이 생겨서 물체를 따라갈 수 있고, 손바닥에 닿는 물건을 집거나 사물을 부딪쳐 소리 나게 하고 밀고 당기기, 소리 나는 쪽으로 고개 돌리기, 뒤집기, 혼자 앉기, 기어 다니기를 거쳐 주위의 물건을 잡고 일어선 후 혼자 걸을 수 있게 된다.

사회성이 발달되며 사람의 얼굴과 목소리에 관심을 갖게 되어 사람이 가까이 다가가면 미소를 짓거나 안기고 접촉하는 것을 좋아한다. 특히 '까꿍놀이'에 강한 흥미를 느낀다.

정서발달의 양상은 기쁨의 감정과 함께 갑자기 나는 큰 소리에 두려움과 불안함을 나타내며 떼를 쓰거나 화를 내고 장난감에 대한 선호도가 생긴다.

인지적 발달을 통해 눈과 귀를 통한 자극에 반응하고 감각기관의 발달로 눈, 입, 손으로 사물을 탐색할 수 있게 되며 단순한 움직임을 따라할 수 있다. 또한 패턴을 인식하고, 사라진 물체를 찾을 수 있게 된다. 또한 어휘의 사용이 증가하면서 그림책의 그림을 가리키며 이름을 말하고 동화나 동요 듣기를 좋아하게 된다.

교사는 이러한 발달특성을 고려하여 환경을 수유 및 식사 영역, 낮잠 영역, 감각 영역 등으로 구성해야 한다.

1) 영아의 발달을 촉진시키는 교사의 역할

교사는 영아의 발달을 촉진시키기 위해 우선 신체와 정서, 사회성, 인지, 언어의 발달에 대해 이해해야 한다.

0~36개월의 영아들은 근육을 조절하는 능력이 급속도로 발달되어 혼자 일어서고 걷게 된다. 이렇게 영아가 걷기까지는 많은 단계가 필요하며, 개인의 성숙과 적절한 경험이 통합되어 이루어진다. 따라서 급속도로 이루어지는 신체발달을 유지하기 위해서는 안전하고 개방된 공간이 필요하다. 또한 이 시기의 영아들은 오전과 오후의 낮잠 시간이 줄어드는 반면 활동하며 놀이하는 시간이 길어지기 때문에 교사가 개인적인 낮잠 스케줄을 맞춰 주어야 한다. 뿐만 아니라 영아는 양손을 각각 다른 활동에 사용하기 시작한다.

정서발달이 이루어지면서 여러 가지 방법으로 자신의 행복감이나 공포, 불안감을 표현하기 시작한다. 교사와의 긍정적인 상호작용은 영아가 자신에 대한 감정을 긍정적으로 발달시키도록 해 주므로 통제하기보다는 환경을 조절하여 행동을 통제하는 것을 스스로 습득할 수 있도록 한다. 단, 행동을 통제할 때에는 단호하게 해야 한다.

신체발달이 이루어짐에 따라 이동능력이 생긴 영아들은 타인과 자유롭게 왕래하면서 상호작용을 통해 사회성이 발달된다. 특히 영아는 교사와의 친밀감을 유지함으로써 안정감을 갖게 되므로, 교사가 자신을 볼 수 있는 곳에 있으려고 한다. 또한 이 시기의 영아들은 자기중심적 조망을 가지고 있기 때문에 자신의 희망이나 욕구와 타인의 그것을 구분하지 못하고, 타인의 요구를 고려하거나 요구에 반응하지 않는다.

0~36개월의 영아는 동화와 조절이 독립적으로 일어나기 시작하여 자신이 성취하고자 하는 것과 그것을 성취할 수 있는 방법을 분리하여 사고하기 시작하는 인지발달이 이루어진다. 대상 영속성의 개념은 이 시기 동안의 중요한 발달과업으로, 사물이 보이지 않을 때에도 계속 존재한다는 개념을 형성하는 것을 의미한다. 이러한 대상 영속성에 대한 개념 형성은 영아의 놀이와 언어에서 표출되는 표상능력을 발달시키는 기초가 된다. 또한 모방의 기능이 변화되기도 하는데 이해력을 증진시키고 흥미 있는 행동을 숙달하기 위해 모방을 하기 시작한다.

언어발달을 통해 영아는 소리, 옹알이, 단어를 섞어 사용하며 타인과 이야기하고자 한다. 아니스펠드(Anisfeld, 1984)는 영아의 사물에 대한 감각운동적 탐색이 사물을 표상하는 데 기초가 되는 것처럼 말에 대한 감각운동적 탐색(소리, 옹알이 등)도 말의 표상에 대한 기초가 된다고 했다. 그는 이 시기의 영아가 사용하는 단어의 의미수준은 의미 획득의 첫 번째 단계에 해당하며 단어에 대한 전상징적 단계(Presymbolic Uses of Words)라고 규정했는데, 초기의 단어는 신호의 특성을 가지고 있으며 단어들은 상황으로 묶여 있음을 의미한다. 실제로 이 시기의 영아들은 물건이나 행동을 한 단어와 연합시키는 것을 배우고, 같은 상황에서만 말을 연합시키는 특징이 있다. 또한 색연필과 같은 도구로 종이에 긁적거리는 것은 후에 발달하게 될 말하기, 읽기, 쓰기 과정과 관계있다.

영유아교육 교수설계

학습목표
- 영유아교육 교수설계의 정의에 대한 이해를 도와 영유아교육 교수설계의 기본 개념을 습득할 수 있다.
- 영유아교육 교수설계의 기본 원리를 이해할 수 있다.
- 발달에 적합한 영유아교육 교수설계의 이해를 도울 수 있다.
- 영유아교육 교수설계의 기본 요소를 파악할 수 있다.
- 영유아교육 교수설계 운영 시 유의점에 관심을 가질 수 있다.

1. 영유아교육 교수설계의 개념

영유아교육 교수설계란 무엇인가? 그에 대한 정의는 여러 가지로 논의될 수 있는데, 폭넓은 관점에서 영유아 프로그램은 영유아기 아동의 전인적 성장과 발달을 도울 수 있는 교육목표를 설정하고 그 목표를 달성하기 위해 무엇을, 어떻게 가르칠 것인가를 다루는 전반적인 것이다. 뿐만 아니라 영유아에게 제공할 경험을 조직하고, 그 결과를 평가하고 활용하는 과정까지 포함하는 체계적인 교수-학습의 설계도라 할 수 있다.

한편 영유아교육 교수설계의 좀 더 구체적인 정의는 만 1~5세의 영유아를 대상으로, 연령 및 발달수준과 개별적 특성에 기초한 경험을 제공하여 교육적 욕구를 충족시키는 것이다. 이와 동시에 성장하는 영유아의 사회적 욕구를 충족

시키기 위해 건강, 영양, 안전 등의 보호영역과 복지교육기관에서 영유아 자녀
를 둔 부모들에게 제공하는 모든 활동을 의미한다.

학자들에 따른 정의도 다양한데, 데이(Day, 1983)는 영유아교육 교수설계를
실행하는 주체에 따라 그 의미를 구분했다. 따라서 유아교육기관의 교사는 각
아동의 건강상태와 영양적 요구, 규칙적 실외운동, 수면, 휴식을 위한 공간 등
에 관심을 기울여야 하는 반면, 보육시설의 교사들은 특별히 부모들과의 의사
소통 제도를 개발해야 한다고 했다.

또한 카탈도(Cataldo, 1983)는 영유아교육 교수설계에서의 학습과 보호는 분
리될 수 없는 불가분의 관계에 있는 개념이라고 주장했다.

1) 영유아교육 교수설계의 기본 정의

이러한 여러 정의를 포괄하여 영유아교육법과 유아교육진흥법에서 정의하는
바는 다음과 같다. 먼저 영유아교육법(1991)에서는 보육을 "보호자가 근로 또
는 질병 기타 사정으로 인해 보호하기 어려운 영아 및 유아를 심신의 보호와 건
전한 교육을 통해 건강한 사회성원으로 육성함과 아울러 보호와 경제적·사회
적 활동을 원활하게 하여 가정복지 증진에 기여함을 목적으로 하는 것"이라고
정의하고 있다.

한편, 유아교육진흥법(1998)에서는 보육과 대비되는 유아교육의 개념을 "유
아를 대상으로 그 발달 특성에 적합한 교육과정을 다양한 교수방법으로 실시하
는 학교 교육"이라고 정의하고 있다.

클라크와 페인(Clark-Stewart & Fein, 1983)은 "보육시설의 기능을 어린이에
게 꼭 필요한 교육과 발달이라는 넓은 맥락에서 접근하는 동시에 그것에 초점
을 두고 어린이를 고려해야 한다"고 주장했다.

2) 영유아교육 교수설계의 기본 원리

영유아교육 교수설계를 운영하기에 앞서, 영유아교육 교수설계의 주체와 수혜자인 교사와 영유아의 관계의 중요성에 대해 반드시 인식해야 한다. 교사가 영유아 개인의 성장에 대한 관심을 반영할 때 서로 간의 긍정적이고 애정적인 분위기가 형성되므로 프로그램을 진행하기 전에 우선적으로 충족되어야 한다. 따라서 교사는 영유아의 개별성을 인정하고 영유아의 흥미 및 전반적인 발달을 바탕으로 프로그램을 계획함으로써 영유아의 촉진자이자 자원이 될 수 있다.

영유아교육 교수설계의 목적은 일차적으로 영유아의 개인적 성장과 기술 및 능력을 획득하게 하는 것이다. 따라서 영유아교육 교수설계는 고정성보다는 융통성을, 특수성보다는 포괄성을, 폐쇄성보다는 개방성을 추구한다. 이와 같이 목적을 설정하는 과정에서 교육 및 보육기관의 철학이 프로그램에 적절히 반영되므로 각 프로그램은 접근방식이나 강조점 등에서 다소 차이가 있으며, 영유아를 위한 목적도 다양하다. 또한 최근 들어 영유아의 교육에 대한 관심이 높아지며, 지역사회의 특수성이나 부모들의 욕구 등이 프로그램에 적절하게 안배되고 표현되기도 한다.

프로그램은 영유아의 요구와 필요를 충분히 반영하여 제작되어야 하고, 그것을 통해 이루어지는 교육활동은 아동 중심적이며 비형식적이어야 한다. 특히 발달에 있어 개인차가 큰 영유아는 각각의 발달수준에 따른 활동과 자유선택활동으로 학습이 이루어져야 한다. 따라서 일과 프로그램은 놀이 활동시간 · 기본 생활습관 형성시간 · 짧은 시간의 그룹 활동 등을 포함하며, 운영 시에는 정적 활동과 동적 활동, 대 · 중 · 소집단 활동, 활동 · 휴식이 적절히 안배되도록 해야 한다. 이러한 학습은 문제해결, 모델링, 발견, 반복연습 등 다양한 교육방법을 통해 이루어진다.

프로그램을 운영하는 과정에서 교사와 영유아의 관계 외에도 또래 관계는 학습과 성장의 중요한 요인이라고 할 수 있다. 하지만 자기중심성이 특히 강한 이

시기에는 아동기 이상의 아동들에게서 볼 수 있는 원만한 또래관계를 형성하기
가 쉽지 않다. 따라서 개인의 욕구를 조절하여 자아를 통제하는 방법과 적절한
행동 규준을 마련하고 설명해 줌으로써 영유아의 전반적인 발달을 지원해 주어
야 한다. 이때에는 개인과 집단을 위한 최소한의 자유 제한에 초점을 두어 행동
을 지도해야 한다. 뿐만 아니라 학습을 통해 야기되는 문제에 대해 영유아가 갈
등이나 좌절을 겪지 않도록 해야 한다.

　프로그램이 운영되는 물리적 환경은 영유아의 발달적 수준과 흥미수준, 환경
적 특성 모두를 반영하여 구성되어야 한다. 따라서 물리적 환경은 영유아의 신
체적 움직임을 독려하고 활동에 적극 참여할 수 있도록 내용이 조직되어야 한
다. 또한 학습 자료는 영유아가 흥미를 느낄 수 있도록 놀이 중심적이어야 하고
반응적이며 직접적 경험을 제공할 수 있는 구체적인 것이어야 한다. 특히 놀이
영역에는 수준이 다양하고 놀이와 학습 모두 가능하고, 여러 가지 용도로 사용
될 수 있는 개방형 놀이자료가 마련되어야 한다.

　이러한 보육 프로그램의 기본 원칙은 영유아에 대한 교육, 안전, 영양, 건강
면에 중점을 두는 것뿐만 아니라 부모에 대한 서비스와 지역사회와의 교류도
포함한다. 따라서 영유아 프로그램의 목적과 내용, 특수한 교육활동 등에서의
부모의 적극적인 참여는 영유아와 가족을 위해서도 긍정적인 교육의 효과를 가
져올 수 있다. 무엇보다도 프로그램 구성 시 영유아가 가정에서 경험한 것과 프
로그램을 통해 경험한 것이 연계되도록 해야 하는데, 이렇게 가정과 지역사회
가 잘 연계된 프로그램은 영유아에게 중요한 자원이 될 것이다.

2. 발달에 적합한 영유아교육 교수설계

1) 영유아 발달과 학습에 적합한 프로그램의 원리

위에서 언급했듯이, 영유아교육 교수설계는 영유아의 발달상의 개인차, 그들

의 요구와 필요를 모두 고려해야 한다. 따라서 미국유아교육연합회(NAEYC)에서는 1997년에 영유아의 발달과 학습에 적합한 프로그램의 원리에 대해 발표했다.

영유아의 발달의 원리에는 연속성과 누적성, 개인차와 발달영역 간에 상호연관성이 있다. 영유아의 발달은 일련의 연속성을 가지고 진행되는데, 영유아기와 아동기, 청소년기 등을 거쳐 일생동안 이루어진다. 또한 발달의 누적성이란 영유아기의 초기 경험이 각 개인의 발달에 누적되고 지연되어 성장하면서 지대한 영향을 미치는 것을 의미한다. 하지만 이러한 발달은 개인차가 있으므로 학습방식이나 표상양식에 있어서 아동 개개인의 발달에 적합한 것을 제공해 주어야 한다.

이러한 영유아의 발달은 다양한 사회적 · 문화적 맥락 안에서 이루어지고 영향을 받는 동시에, 능동적 학습자로서 주변 세계에서 경험한 것을 자신의 지식으로 구성한다. 따라서 발달이란 영유아 개인의 성숙과 환경적 요인들의 상호작용에 의해 이루어지는 것이라 할 수 있다. 또한 신체 · 정서 · 사회 · 인지 등 영유아의 발달영역은 서로 밀접한 영향을 주고받는데, '놀이'는 이러한 발달에 중요한 역할을 한다.

그 어느 시기보다 환경의 영향을 많이 받는 영유아는 신체적으로 안전하고 편리하며 또한 정서적으로 안정된 분위기나 환경에서 도전함으로써 더욱 발달하고, 학습이 효과적으로 이루어질 수 있다.

2) 영유아교육 교수설계의 계획

영유아교육 교수설계는 발달과정에 있어서 매우 중요한 시기에 있는 영유아를 대상으로 하기 때문에, 무엇보다도 성장기 영유아의 정상적인 발달을 돕는 것을 최우선 과제로 한다. 따라서 연간계획과 주간계획, 일일계획 순으로 체계적인 계획을 마련해야 한다.

연간계획은 교육 및 보육기관에 들어온 영유아가 한 해 동안 경험하게 될 계획안이므로 각 월령과 연령에 따른 밑그림이라 할 수 있다. 따라서 연간계획은 각 기관에서 어떤 아동으로 육성시킬 것인지 등의 구체적인 목적과 철학이 우선적으로 세워진 후 수립되는 첫 단계이다. 이는 국가 수준의 교육목표에 따라 아동을 성장시키고 영유아에게 적합한 학습방법인 놀이와 활동 중심으로 진행해야 한다. 하지만 각 영유아마다 다양한 흥미를 가지며 돌발 상황이 일어날 수 있기 때문에 융통성 있게 조정할 수 있다.

주간계획은 연간계획을 기초로 하여 작성하며, 일주일간의 일일계획이 모여서 이루어진다. 이는 교사가 다음 일주일 동안 실시할 활동을 구체적으로 계획하고 준비하는 데 도움이 된다. 주간계획을 짤 때에는 계획한 주제에 적합한 활동과 교구를 선택한 후에 환경을 구성하는데, 때에 따라 변화를 주도록 한다. 활동 시 보조 인력이 필요한 경우에는 어떤 시간에 누가 주도하며 보조할 것인지 보조교사나 봉사자의 임무를 계획표에 구체적으로 표현해야 한다. 이러한 주간계획은 교실 게시판에 부착해 전체 교직원이 필요할 때마다 볼 수 있게 하는 것이 좋다.

- 관련 사이트: KTi 행복한 어린이집, 푸르니 어린이집, 명지유치원, 중앙대학교 사범대학 부속유치원, 영진전문대학 부설유치원

일일계획은 주간교육계획에 기초하여 영유아가 등원 후 하원할 때까지의 일과를 구성한 것이다. 일일계획을 구성할 때에는 영유아의 기본적인 욕구를 충족시키고, 신체적 활동은 물론 전인적 인격을 형성하는 데 초점을 두어 양질의 교육활동이 균형 있게 제공되도록 한다. 또한 주의집중 시간이 짧은 영유아의 신체적 상태나 심리적 상태를 고려하여 무리가 없도록 한다.

3. 영유아교육 교수설계의 기본 요소

1) 기관적응 문제

생후 6개월 정도 지난 영아는 낯선 사람에 대한 두려움을 느끼고 친숙한 사람과 떨어지게 되는 것에 대해 격리불안 현상을 보인다. 따라서 이들의 정서적 적응을 돕기 위해 여러 명의 교사보다는 지속적으로 한 명의 교사가 일관되게 돌보도록 함으로써 교사와 영유아 간의 친밀도를 높여야 한다. 또한 많은 장난감을 한꺼번에 제시하기보다는 영유아가 흥미를 보이는 몇 개의 장난감만을 제시하도록 한다. 나이가 어릴수록 분리불안을 보이는 영유아가 많기 때문에 처음부터 무리하게 부모와 떼어 놓으려 하기보다는 기관에의 적응이 이루어질 때까지 점차적으로 부모와 떨어지는 연습을 하도록 한다.

기관에 입학한 영유아는 기존의 생활과는 전혀 다른 경험을 하게 되므로 교사는 영유아가 일과에 잘 적응할 수 있도록 노력해야 한다. 따라서 입학 초기에는 영유아가 기관에 있는 시간을 적게 잡고 적응 정도를 고려하여 점차적으로 일과 운영시간을 늘려 나가야 한다. 영유아가 기관의 일과에 적응하여 정서적으로 안정된 후에 특별한 활동을 계획하고 운영해 본다. 교실환경은 단순하게 구성하고 한꺼번에 너무 많은 수의 장난감을 제시하지 않는다.

영유아뿐만 아니라 부모도 기관에 적응하는 데 어려움을 겪기도 한다. 그 이유는 부모가 아무리 심사숙고해서 선택한 기관일지라도 영유아 자녀를 보낼 때 부모로서 잘 돌보지 못하고 있다는 죄책감이나 두려움을 느끼는 경우가 있기 때문이다. 따라서 교사는 이러한 부적응을 보이는 부모들이 죄책감과 두려움에서 벗어날 수 있도록 많은 대화를 나누고, 부모교육용 팸플릿이나 관련 책자를 제공해 준다. 또한 같은 기관에 자녀를 맡긴 다른 부모들과 함께 자녀에 대해 토론할 수 있는 자리를 마련해 주거나 직접 자녀의 수업을 참관할 수 있도록 배려한다.

2) 탐색과 안전 문제

영유아 장난감과 놀이를 통해 탐색하고자 할 때, 교사는 이들의 반응에 민감하고 잘 조직된 환경을 제공해야 한다. 영유아는 어떤 사물이건 간에 입에 가져가 빨려고 하는 성향이 있기 때문에 유해한 색소가 들어 있는 것이나 크기가 너무 작아서 입 속으로 들어갈 위험이 있는 장난감은 제공하지 말아야 한다. 따라서 무게가 무겁거나 깨질 위험이 있는 것보다는 부드럽고 가벼우며 영유아가 만질 때마다 소리가 나는 장난감이 좋다. 또한 실내외의 시설물을 사용할 때에는 영유아가 시설물 위로 올라가거나 날카로운 모서리가 있는 곳으로 가지 않도록 제한해야 하는데, 이러한 시설물의 사용을 최소한으로 줄이는 것이 더욱 좋다.

간혹 사물을 탐색하던 영유아가 그에 몰두하여 무엇인가를 발견하면 매우 흥분하거나 예상치 못한 행동을 보이기도 한다. 이와 같은 문제행동이 발견되면 교사는 적합한 지도방법을 사용해야 하는데, 먼저 영유아에게 행동을 멈추고 자신을 생각할 수 있는 충분한 시간을 주고 그와 같은 문제행동이 왜 잘못되었는지 알 수 있도록 설명한다. 이때에는 다그치거나 흥분하지 말고 부드럽고 긍정적인 어투로 지도해야 한다.

대부분 탐색과 놀이가 이루어지는 시간에 영유아 간에 문제행동이 일어나게 되므로 교사는 아동의 능력에 대해 연령별 수준에 따른 기대를 해야 한다. 이는 아동으로 하여금 안정감과 자신감을 심어 주며 성인 자신도 아동에 대한 폭넓은 이해력을 가질 수 있다. 따라서 금지하거나 부정적인 말보다는 모델링, 아동의 감정을 대신해서 읽어 주기, 격려해 주기 등을 통해 문제행동을 수정하는 것이 아동의 자아존중감을 길러 주는 데 긍정적이라 할 수 있다.

3) 또래 간의 갈등 문제와 지도

이러한 갈등이 항상 부정적인 결과만을 가져오는 것은 아니다. 장난감이나 기관의 일과 생활에서 오는 갈등은 영유아의 성장에 도움이 되는 교육적 효과를 가져올 수도 있다. 만 1세까지의 영유아는 사회적 교류능력이 미숙하고 다른 영유아 간의 기질적 차이, 장난감으로 인한 충돌, 불안감, 부정적 상호작용의 모델 등 여러 가지 갈등을 겪게 된다. 하지만 이를 통해 영유아와 교구, 또는 다른 사람과의 관계에서 일어날 수 있는 갈등을 감소시키거나 해결하는 데 도움이 되는 경험을 할 수 있다.

사회성이 아직 발달하지 못한 영아들은 새로운 또래가 기관에 오면 울거나 경직된 행동을 보이고, 성격차이로 인해 충돌이 일어나기도 하는데, 교사가 영유아의 특성을 이해하고 여유로운 마음으로 유머를 가지고 대하는 것이 가장 효과적인 대처방법이다. 또한 또래와 함께하는 놀이 역시 프로그램의 중요한 부분이므로 유아 간의 접촉을 증진시킬 수 있는 방법을 개발하는 것이 중요하다.

만 3세 이하의 영아들은 자기중심성이 강하므로 자신의 마음에 드는 장난감은 반드시 획득하려고 하는 특성이 있다. 따라서 환경을 구성할 때에는 분리된 흥미 영역을 중심으로 소수의 다양한 종류의 장난감보다는 종류가 적더라도 양을 충분히 구비하는 것이 좋다.

영유아가 기관에서 즐겁게 생활하려면 교사의 중재가 필수적인데, 특히 나이가 어리거나 활동적인 영유아일수록 물리적으로 제한하거나 간결한 어조로 주의를 주어야 한다. 하지만 어느 영유아에게나 애정이 담긴 말로 지도하는 것이 가장 효과적이라 할 수 있다. 또한 교사가 적절한 행동을 시범으로 보여 주며, 충돌이나 문제가 일어날 가능성이 있는 영유아의 행동을 유심히 관찰하여 문제가 일어나기 전에 예방할 수 있어야 한다.

영유아에게 학습과 기본 생활습관을 습득할 기회를 제공하기 위해서는 적절한 수의 교사와 직원, 적절한 수의 장난감이 필요한데, 상업용 교재보다 교사나 부모가 직접 만든 장난감이 더 유용하다. 또한 어느 프로그램에서든지 고도로 훈련된 교직원이 반드시 필요하지만 영유아의 행동에 민감한 성인도 영유아의 교육에 크게 기여할 수 있다.

즉 영유아교육 교수설계는 영유아교육에 관해 전문적인 자격이 있는 교직원들이 적절한 교재와 교구, 기관에서 이루어지는 일과활동을 통해 지속적인 연계성을 갖고 보호와 교육을 균형적으로 행하는 것이라 할 수 있다.

4. 영유아교육 교수설계 운영 시 고려사항

생동감 있고 활기가 넘치는 영유아교육 교수설계는 영유아에게 많은 자극을 주므로, 교사의 명랑한 목소리와 부드러운 분위기, 다양한 장난감 등은 환경에 대한 민감성을 키울 수 있다. 그러나 과도한 자극은 영유아에게 피곤함과 혼란스러움, 불안감을 야기하며, 주의집중력을 약화시킬 수 있으며 자극이 아예 없는 경우에는 영유아의 학습의욕을 저하시키고, 호기심이 많은 영유아에게는 좌절감을 줄 수 있다.

또한 일관성이 부족하고 흐름이 없는 간헐적 자극은 영유아의 일관적인 태도 형성에 부정적 영향을 끼칠 수 있다. 따라서 자극적인 환경이 영유아에게 다양성과 생동감을 주기 위해서는 익숙한 주변 환경으로부터 오는 안정감과 매일 접촉하는 사람과의 관계에서 형성되는 신뢰감이 밑바탕이 되어야 한다.

영유아를 위한 교육활동을 계획하고 구조화 정도를 정할 때에는 영유아가 자연스럽게 활동하는 과정에서 발생하는 활동과의 균형을 고려해야 한다. 하지만 과도한 계획은 영유아의 경험을 제한하고, 선택의 기회를 감소시키며 교사 주도 학습으로 변질될 수 있다. 또한 계획을 마련하지 않는 것은 교사들 간의 혼란을 초래하여 전문성을 약화시키며, 영유아교육의 목적이 방향성을 잃을 가능성이 크다. 즉 영유아 프로그램의 계획은 융통성 있게 운영하는 것이 필요하다.

영유아 프로그램의 구성체계

학습목표
– 광의와 협의의 영유아 프로그램의 개념을 이해하고 설명할 수 있다.
– 현대 영유아 프로그램에 영향을 끼치고 있는 학자들에 관심을 가질 수 있다.
– 현대 영유아 프로그램의 주 개념을 이해할 수 있다.
– 현대 영유아 프로그램의 경향을 기본으로 한 영유아 프로그램을 구성할 수 있다.

1. 영유아 프로그램의 개념

1) 영유아 프로그램의 사전적 의미

프로그램의 사전적 정의는 "진행되는 계획이나 순서, 혹은 목록"이지만, 영유아 프로그램이란 단순히 계획표나 차례를 뜻하는 것이 아니라 유아교육기관에서 영유아를 위해 계획, 실천하고 적용하는 일련의 교육과정이다.

1960년대에 연구된 몬테소리 프로그램, 피아제 이론 기반 프로그램, 발달적 상호작용 프로그램 등은 모두 '유아교육과정'의 의미로 연구된 프로그램이라고 할 수 있다. 현재는 유아교육과정이 다양하게 개발되어 '유아교육과정'이라는 용어가 '유아교육 프로그램'이라는 용어로 대치되어 쓰이기도 한다. 즉 '유아교육 프로그램'은 어떤 특정한 이론에 의해 조직된 유아교육과정의 모델로써 일

반적인 교육과정의 개념보다 더 구체적이면서도 현장에서 가르치는 교육내용
을 상세하게 기술한 협의의 개념으로 이해될 수 있다(이기숙, 1995).

2) 영유아 프로그램의 특징 및 적용의 기본 개념

영유아 프로그램은 유아교육기관에서 직접 실행할 수 있으며 일상에서 유아에
게 적용되는 수업으로 유아에게 가장 직접적으로 연관된 활동이라 할 수 있다.
따라서 아무리 좋은 프로그램이라고 하더라도 유아에게 의미 없는 경험이라면
그 가치는 인정받기 어렵다(김수영 외, 2003).

또한 영유아에게 프로그램을 적용할 때에는 영유아의 연령과 발달수준에 맞
는 활동을 다양하게 제공하여 영유아가 적극적으로 참여하고 자기의 흥미를 추
구하며 언어발달, 주변 세계에 대한 개념, 사회적 기능, 문제해결력, 운동기능,
자신감 등을 가질 수 있도록 계획해야 한다(삼성복지재단, 1997).

3) 영유아 프로그램 적용 시 고려사항

유아에게 영유아 프로그램을 적용할 때에는 유아의 발달단계와 연령을 고려해
야 하는데, 최근 교육기관에 지원하는 영유아의 연령이 점차 낮아지고 있다는
점을 인식해야 한다. 이와 함께 다양한 가정환경과 부모의 요구를 충분히 수용
하며 유아교육기관의 유형과 특성뿐만 아니라 지역적 특성과 지역사회와의 관
계도 고려해야 한다.

4) 유아교육 프로그램의 기본적인 설정(임재택, 2000)

유아교육 프로그램의 계획에 앞서 무엇보다 유아교육에 대한 인식의 전환이 필
요하다. 따라서 유아교육 관계자들은 개발된 프로그램을 현장에 적용하여 문제
점을 발견하고 평가하는 과정을 거쳐 프로그램을 수정, 보완해야 한다. 이처럼
유아교육 프로그램은 단 한 번에 완성되는 것이 아니라 수정, 보완 과정을 거치

는 것이 바람직하다.

유아교육 프로그램을 개발할 때에는 현대사회의 화두인 다양성을 고려하여 충분히 반영되도록 해야 하는데, 유아와 부모, 교사의 다양한 요구에 부합할 뿐 아니라, 여러 가지 이론과 현실적 상황 그리고 제반 여건이 적절해야 한다.

20세기는 엘렌 케이가 '아동의 세기'라고 언급할 만큼 유아에 대한 연구와 활동이 활발히 이루어진 시기이다. 비록 다른 학문분야에 비해 늦게 발달했으나 유아에 대한 과학적 이해가 시도되며 관심과 아동 관련 사업이 급격히 증가하게 되었다.

듀이, 몬테소리와 같은 사상가들은 독자적인 유아교육이론을 정립하고 실천했으며, 프로이드, 에릭슨, 피아제 등과 같은 발달심리학자들은 아동의 성장과 발달의 중요성을 부각시키고 아동을 과학적으로 이해할 수 있는 발판을 제공했다. 지금도 세계 각국에서 이들의 사상과 유아교육에 대한 연구를 기초로 끊임없는 후속 연구가 이루어지고 있다.

2. 영유아 프로그램의 연구

1) 듀이

듀이(John Dewey, 1859~1952)는 전통적인 교육방식을 비판하고 교육이 실용성을 갖춰야 한다고 생각했는데, 유아에게 의미 있으면서도 흥미로운 경험을 제공하는 '생활중심 교육'을 주장했다. 그에게 교육이란 경험들이 다시 구성되는 것이라 할 수 있는데, 경험은 인간이 속한 사회 환경과의 상호작용이며, 이것이 다양할수록 성장한다고 보았다. 또한 놀이는 유아의 힘과 사고, 신체적 움직임이 어우러진 것으로, 유아의 흥미와 상상을 통합하는 자유로운 행위라고 여겼다.

뿐만 아니라 듀이는 기존의 유아교육과정을 개혁하고 단원학습과 흥미영역 개념을 구성했으며 유아 스스로 문제를 해결하고 사회화 개념을 습득하는 것을 강조했다. 이처럼 그는 유아교육분야에 많은 영향을 끼쳤으나 현실만을 지나치게 강조했다는 점에서 비판을 받기도 했다.

2) 몬테소리

몬테소리(Maria Montessori, 1870~1952)는 1907년에 3~7세 아동을 대상으로 어린이집(Casadei Bambini)을 설립했다. 그녀는 교사나 다른 유아와의 상호작용 없이도 스스로 자신의 잘못을 수정하는 자동교육(Auto Education)이 가능하다고 보았다. 따라서 민감기에 해당하는 아동에게 수준에 맞는 교구를 통해 감각교육을 행하면 지적으로 발달할 수 있다고 했다. 뿐만 아니라 유아를 중심으로 교육을 수행하여 자유를 보장해 주고, 일상생활 훈련을 통해 작업에 집중할 수 있는 기회를 제공했다.

이처럼 몬테소리는 유아에게 지적 교육보다 감각 교육을 먼저 실시했다는 점에서는 의의가 있으나 집단 활동이나 사회화 기술과 관련된 활동을 소홀히 했다는 점에서 한계점을 나타내었다.

3) 피아제

피아제(Jean Piaget, 1896~1980)는 생물학자이자 심리학자로 유아 대상 추리력 검사를 하면서 유아교육에 관심을 보이기 시작했다. 그가 주장한 인지발달이론은 동화와 조절이라는 핵심적인 개념을 가진다. '동화'는 유아가 단순히 지식을 축적하는 것이 아닌, 환경과의 상호작용을 통해 각각 자신의 틀에 맞게 주변의 환경을 받아들이는 것을 의미한다. 한편 '조절'은 유아가 새로운 사건이나 대상물을 받아들이려 할 때 기존에 가지고 있던 틀이나 체계가 맞지 않으면 이를 변경한다는 개념이다. 하지만 '조절'은 이전에 유아가 경험한 것이 풍부하게 축적되어야 한다는 전제를 가지며, 유아가 지식과 지능을 구성하는 데 능동적 존재라고 할 수 있다.

이처럼 유아는 환경을 능동적으로 탐색할 때 문제해결 능력과 지식구성 능력을 기를 수 있기 때문에 교사는 무리하게 유아의 발달수준보다 더 높은 것을 가르치려 하지 말고 놀이를 통해 학습의 의미를 스스로 발견하고 학습하도록 도와주어야 한다.

피아제의 인지발달 이론은 현재까지도 유아교육 분야에서 응용되고 있으나 이론을 주장하기 위해 수집한 임상방법이 과학적이지 않다는 점에서 비판을 받고 있다.

4) 가드너

가드너(Howard Gardner, 1943~)는 인간의 지적 능력은 일차원적 관점으로는 제대로 설명될 수 없으며 다원적 측면에서 평가해야 한다고 주장했다. 그는 기존의 지능 검사는 사회적 맥락이나 교육 요인, 인간의 독창성을 무시해 왔으며 지능의 해석이 종합적 틀에서 벗어났다고 비난하며 인간의 지능은 크게 8가지로 나타날 수 있다고 했다. 이러한 8가지 지능에는 기존의 언어 지능과 논리-수학적 지능뿐만 아니라 공간적 지능, 음악적 지능, 환경에서 적응하고 생존할 수 있는 능력, 개인 간 지능과 개인 내 지능, 대인관계 지능, 신체-운동적 지능이 있다.

3. 영유아 프로그램의 모형

영유아 프로그램의 모형에는 행동주의 프로그램, 아동중심 프로그램, 몬테소리 프로그램, 피아제 이론 기반 프로그램이 있다.

행동주의 프로그램의 교사상은 유아의 행동에 항상 민감하게 반응하고 관찰하는 것이며, 명확하고 세분화된 학습목표가 설정되어 있다. 대표적인 프로그램으로는 'DISTAR 프로그램'이 있다. 아동중심 프로그램은 '개방주의'라고도 불리며 모든 아동이 적극적으로 학습에 참여하여 자발적으로 학습하는 것을 목표로 하며 '뱅크스트리트 프로그램'이 대표적이다. 피아제 이론에 입각한 프로그램은 인간은 환경과의 상호작용을 통해 인지적 발달이 이루어진다고 보는 프로그램으로 카미-드브리스의 구성주의 이론, '하이스코프 프로그램'이 있다.

4. 영유아 프로그램의 경향

1) 종일제 프로그램

최근 들어 종일제 프로그램에 대한 요구가 증가하고 있는데, 이는 직장을 다니는 어머니가 증가하고 대중매체의 영향, 교육기회가 확대되면서 효과적으로 초등학교의 학업을 성취하려 하거나 다양한 조기 집단 경험을 제공하려는 등의 요인이 작용하기 때문이다.

1993년부터 행정쇄신위원회에서 종일반 운영기관을 선정하면서 종일제 프로그램이 꾸준히 증가하고 있다. 이는 현대의 부모와 영유아가 점점 더 많은 자극과 경험을 요구하여 부모들이 자녀교육을 책임지는 것이 벅차므로 유아교육 전문가에게 요청하는 경향이 증가하기 때문이다.

종일제 교육은 반일제 프로그램에서 실시하는 교육과 보호를 포함해 1일에 8시간 이상을 운영하는 것으로 유아의 전인적 발달을 목표로 하는 확장된 반일제 프로그램이다. 종일제 프로그램을 계획하고 운영할 때에는 유아의 연령과 발달수준에 따라 개인차를 반영해야 하고 교육 프로그램과 휴식, 배변, 낮잠, 청결 등의 기본 욕구와 안전에도 주의를 기울여야 한다.

또한 교사는 유아가 기본 생활습관이나 사회생활에 필요한 기술과 태도의 기초를 형성하도록 해야 하는데, 오전 활동을 변화시키지 않은 오후 활동은 바람직하지 않다. 무엇보다 장시간 동안 유아교육기관에서 활동하는 유아가 피로를 느껴 심신의 건강을 해치지 않도록 해야 한다. 또한 부모의 개별적 요구와 특성, 지역사회의 특성을 교육 계획과 일과 운영에 반영하고 부모의 출퇴근 시간을 고려하여 유아의 등·하원 시간을 탄력적으로 운영해야 한다.

2) 방과 후 프로그램

영유아보육법에서는 1996년 1월부터 6~12세 연령의 아동을 위한 방과 후 프로그램을 실시하도록 규정하고 있다(보건복지부, 1995).

방과 후 프로그램을 개발, 계획하며 운영 시에는 부모와 아동에 대한 정보를 미리 수집하여 그들의 요구와 특성에 기초를 두어야 한다. 취학아동에게는 발달과제를 수행할 수 있도록 해야 하며, 특히 저학년 아동에게는 안전한 보호가 필수적이며 학업적 기능의 발달에 치중하기보다는 사회, 정서적 발달과 자기보호 기술을 육성하는 신체적 활동으로 구성하는 것이 좋다. 무엇보다도 방과 후 프로그램은 아동과 가족, 시설과 지역사회의 긴밀한 상호작용이 이루어져야 한다.

3) 반편견 교육

반편견(Anti-Curriculum) 교육이란 다양한 인종과 사회적 특성을 지닌 사람을 서로 인정하며 살아가도록 하는 교육을 의미한다. 현 사회에는 문화에 대한 편견, 성에 대한 편견, 사회 계층에 대한 편견, 장애에 대한 편견 등이 만연하므로 유아에게 다양한 문화 속에서 공동의 목표를 향해 생활하고 학습하며 의사소통할 수 있도록 준비시키는 교육이 필요하다. 따라서 교사는 유아가 가지고 있는 차이를 인정하고 사회 전반의 환경을 고려한 교육과정을 통해 다양한 방법으로 반편견 교육을 실시해야 한다.

4) 장애아 통합교육

1994년에 특수교육법이 개정, 공포되면서 교육 관계법규에 통합교육이 명시되자 특수교육 입장에서 적극적으로 장애 유아와 일반 학습의 장을 통합하려는 관심과 노력을 기울이고 있다. 통합교육은 여러 측면의 교육적 필요를 가진 유아가 같은 장소에서 사회적 활동이나 교수 활동에서 의미 있는 상호작용을 하는 것이다. 이는 다양성과 차이를 받아들이고 이질적인 상대의 존재를 수용적으로 존중하는 것을 의미한다.

1970년대의 통합교육이 단지 장애 유아를 비장애 유아의 프로그램에 배치한다는 주류화(Mainstream)의 개념이었다면, 1980년대에 들어서는 아동의 경험과 지식, 발달 영역을 하나로 하는 통합(Integration)의 개념으로 발전되었으며, 1990년대에 이르러서는 완전한 통합의 의미로 받아들여지고 있다.

보건복지부는 이러한 흐름에 따라 2000년도에 영유아교육기관의 통합교육 프로그램을 운영하기 위한 지침을 마련했다. 통합교육 프로그램은 전반적인 일과에 다양한 통합 기회를 제공해야 하며, 장애 유아의 발달연령이 아닌 생활연령에 맞추어 배치하는 것이 중요하다. 또한 통합의 효과를 높이기 위해서는 모든 프로그램에 장애아를 포함시키고 환경적 제한을 최소화하며 개별화 교육이 동시에 진행되어야 한다. 사실 비장애 유아나 교사가 장애 유아에게 얼마나 잘 적응하느냐 하는 것이 통합의 성공여부를 결정하기에 장애 전담 교사와 일반 교사는 수시로 협의를 해야 한다. 이와 더불어 장애 자녀를 둔 가정과 비장애 자녀가 있는 가정 간에 긴밀한 연계가 이루어져야만 효과적인 통합 프로그램을 수행할 수 있다.

영유아를 위한 교수학습 방법

학습목표　　– 영유아를 위한 교수학습 방법의 동향을 이해하고 수업적용 방법을 익힐 수 있다.
　　　　　　　– 영유아를 위한 학습활동 계획의 기초를 알 수 있다.
　　　　　　　– 만 4, 5세 유아의 발달특성을 이해할 수 있다.

1. 영유아를 위한 교수학습 방법의 동향

영유아를 위한 교수방법은 여러 가지인데, 주제를 중심으로 한 통합교육과 프로젝트 접근법, 발생적 교육과정 등이 해당된다. 영유아는 흥미로운 것을 스스로 학습할 수 있는데, 이때에는 무의식적으로 모든 교과영역을 통합한다. 따라서 최근에는 교사가 교육과정을 계획할 때 이러한 유아의 학습 패턴을 적용하여 하나의 주제에 여러 교과와 생활 영역이 연결되는 주제 중심의 통합교육이 주목받고 있다. 이는 유아의 흥미를 기초로 했기 때문에 자연스럽고 능동적으로 학습할 수 있고 유아의 반응을 고려하여 교육내용과 활동방법을 조절할 수 있다는 장점이 있다.

따라서 교사는 지속적인 관찰을 통해 유아의 흥미와 요구를 파악하고 지적 학습에 도움이 되는 주제와 활동을 고안하며 교수매체와 학습환경을 다양하게 계획, 준비하여 프로그램을 운영해야 한다.

1) 프로젝트 접근과 비계설정

카츠와 차드(Katz & Chard, 1989)가 고안한 프로젝트 접근법은 통합교육의 한 모델이다. 프로젝트 접근법은 듀이가 개발한 열린 교육의 아이디어를 기반으로 한 것으로, 유아가 주제를 선정하는 단계부터 참여하며 친숙한 주제로 한 명의 유아나 소집단, 전체 학급이 수행할 수 있다.

교사는 실험과 관찰을 통해 유아가 흥미 있어 하는 것을 발견하고 관계있는 영역들의 통합성과 활동 가능성을 고려하여 활동망을 구성한다. 이때에는 진행 중인 프로젝트를 중심으로 교육과정을 계획하고 운영한다.

2) 발생적 교육과정의 운영

유아가 일과활동을 하는 동안 발생하는 아이디어와 흥미에 기초하여 계획하는 교육과정 운영을 발생적 교육과정이라 한다. 유아는 자신과 의미 있는 관계를 이루며 흥미로운 상황에서 효과적으로 학습할 수 있으므로, 교사는 기존의 교육과정의 틀을 바탕으로 하되 일상생활 속의 발생적 교육과정을 고려하여 운영해야 한다.

3) 발달에 적절한 교육과정의 운영

최근 들어 발달에 적합한 교육이 강조되면서 연령에 따른 유아의 발달과 학습과정에 대한 연구결과를 반영한 교육과정을 중심으로 교수·학습 활동, 즉 '발달에 적절한 실천'이 이루어지고 있다. 이 학습법에서는 같은 연령이라도 각 유아의 발달단계, 개별 요구 및 관심, 특정 문화에 따라 적절한 활동이 계획되고 상호작용이 이루어져야 함을 강조한다.

　　교사는 모든 유아가 활동을 선택할 수 있도록 하고, 비지시적 · 중재적 · 지시적 교수행동 유형 등 적절한 상호작용을 하여 유아의 개별적 욕구에 부합된 교육이 이루어지도록 한다. 환경과 활동은 유아의 연령과 개별적 요구에 따른 개인별 적합성을 고려하여 구성한다.

4) 학습에서의 사회적 상호작용의 필요성 강조

유아의 학습과정에서 또래와 성인과의 사회적 상호작용은 필수적 요소이며, 이는 협력하여 학습하는 기회와 사회적 행동학습을 경험할 수 있는 기회를 제공한다. NAEYC에서는 1984년의 연구결과에서 교사와 유아 간에 긍정적이고 지원적이며 개별적인 상호작용이 이루어질 때 최적 상태의 발달이 이루어진다고 보고했으며, 이로 인해 교사와 유아의 상호작용 방식이 유아교육기관의 교육의 질을 판단할 수 있는 요인으로 제시되고 있다.

5) 기술 및 태도 발달의 중시

유아에게 지식과 이해력을 증가시키는 것뿐 아니라 학습한 내용을 일상생활에 적용하여 학습에 대해 긍정적으로 느끼고 바른 태도를 가지게 하는 과정이 강조되고 있다. 이를 위해서는 무의미하게 반복적인 연습을 시키기보다는 학습을 하는 동안 즐거움과 만족감을 느끼게 하는 것이 필요하다.

6) 수행평가의 강조

교육과정에 대한 관점이 변화하면서 평가방법도 그의 영향을 받아 유아의 학습과정을 명확히 반영할 수 있는 수행평가가 강조되고 있다. 이는 유아의 활동 관찰기록, 작품 또는 활동 과정을 담은 포트폴리오 등을 통해 영역별로 수행정도를 평가하고, 그 결과를 교육과정에 반영하여 유아의 흥미에 적절한 교육이 이루어질 수 있게 하는 것이다.

2. 학습활동의 계획

1) 교육목표의 설정

교사가 학습활동을 계획할 때에는 활동의 종류와 시간대, 영역, 구체적 방법을 생각해야 하며, 유아를 위한 교육목표와 일치하는 경험을 토대로 활동의 종류를 선택한다.

교육목표는 교사의 유아교육에 대한 철학, 유아의 연령과 학습 정도, 주변 환경 등의 영향을 받는다. 모든 유아가 목표를 달성하는 것은 어려우므로 교사는 유아의 개별적인 발달단계를 고려하여 이를 조절하고 수정해야 한다. 또한 유아가 원하는 학습 주제를 명확하게 인식하되 다양한 방법으로 목표를 습득하도록 한다. 목표를 구체화하는 것은 동시에 유아가 다양한 목표를 달성할 수 있게 해 주며, 교육목표를 수학, 언어, 미적 감상 및 표현, 대 · 소 근육 운동기술, 친구와의 관계, 과학, 사회 작업 기술 등 범주별로 분류하는 것도 도움이 된다.

2) 학습경험과 활동의 계획

학습경험과 활동은 연간 또는 월별로 계획되어야 하며 필요에 따라서는 주제 중심의 통합교육 접근방법에 의해 주별, 일별, 시간대별로 세부적인 수정안이 만들어진다. 교사는 연초에 그 해에 담당할 유아의 연령과 배경을 고려하여 그들이 관심을 많이 가지고 있거나 유익한 주제들을 선정하고 그에 대한 기초안을 작성한다. 학기가 시작되면 주제에 대해 유아가 흥미를 가질 수 있는 계기와 발달수준을 고려하여 활동을 정하고 주제를 전개시킨다.

주제를 전개하는 과정의 첫 단계는 유아가 흥미로워하는 주제를 알고 내포된 소주제를 이끌어 내는 것이다. 그 다음에는 소주제 안의 개념이나 아이디어, 내용을 교과발달 및 생활영역을 중심 내용으로 다루는 활동을 전개한다.

또한 한 해 동안 학급에서 수행될 주제를 선정할 때에는 흥미, 생활, 문화와 가치관, 유아의 발달 정도를 고려한 유아의 수준 등을 고려해야 한다. 이러한 요인들을 반영하여 주제와 관련된 개념이나 아이디어를 사회생활, 건강생활, 언어생활, 표현생활 등 각 생활영역별로 분류하면 좀 더 명확하게 할 수 있다.

만약 '동물'을 주제로 할 경우 그 안에서 다루어질 수 있는 개념이나 아이디어를 다음과 같이 정리할 수 있다. 이렇게 개념 및 아이디어가 전개되면 그것에 담겨 있는 생활영역별 내용을 파악해야 한다.

동물과 사람과의 관계	• 이로운 동물(동물의 이용)	
	• 해로운 동물	
	• 동물보호(동물 보호 기관, 동물 기르기, 천연 기념물)	
동물의 종류 및 이름		**동물의 특성**
• 어류-양서류-포유류(집짐승, 들짐승)		• 신체적 특성(생김새, 색깔, 피부, 크기)
• 조류(텃새, 철새)-파충류	동물	• 움직이는 방법
• 멸종된 동물(공룡)		• 소리
		• 생활특성(먹이, 사는 곳, 겨울잠, 야행성)
동물의 성장	• 알에서 깨어나 성장하는 동물	
	• 새끼로 깨어나 성장하는 동물	
	• 성장에 따른 변화	

주제 중에는 특정 생활영역에만 해당되는 것이 있을 수도 있으나 대부분의 주제는 실생활과 관련된 내용을 포함하고 있다. 따라서 내용과 활동을 선정할 때에는 기본 틀을 먼저 마련하고 주제에 대한 개념과 구체적 내용 및 활동을 연령과 발달수준에 맞게 나열해 본 후, 실천할 수 있는 내용과 활동을 선정한다.

다음은 '움직이는 방법'의 하위개념과 관련된 생활 영역별 내용을 정리한 것이다.

건강생활	• 대근육 운동하기		사회생활	• 주변 환경 보전하기
	• 소근육 운동하기			• 주변 지역에 관심 가지기
언어생활	• 경험, 생각, 느낌 말하기	움직이는 방법	표현생활	• 신체를 이용하여 다양한 모양을 동작으로 표현하기
	• 이야기 듣고 이해하기			• 몸의 움직임을 보고 즐기기
	• 동화와 동시 즐겨 듣기			• 노래 부르기
	• 바른 태도로 듣기			• 그림 그리기
	• 말과 글자와의 관계			• 만들기와 꾸미기
	• 쓰기 도구에 관심 가지기			• 다양한 종류의 음악 듣기
				• 다양한 종류의 춤 감상하기
탐구생활	• 생물에 대한 관심 가지기			
	• 사물 분류하기			
	• 공간에 관한 기초 개념 가지기			

연간계획을 작성할 때에는 전반적인 학사와 특별한 견학계획, 일반적으로 다루어질 수 있는 주제를 제시하고 주제를 전개할 얼개를 작성한다.

만 3세 유아의 연간교육 계획안 예시

월	주제	소주제	목표
3	즐거운 유치원	• 즐거운 유치원 • 안전한 생활	• 처음 경험하는 유치원이 즐겁고 재미있는 곳임을 알게 됨 • 친구들과의 원만한 생활을 위해 유치원에서 지켜야 할 약속을 앎
4	친구	• 친구	• 친구들과 서로 사이좋게 지내고 친구의 입장을 이해함
5	나와 우리 가족	• 나의 몸 • 행복한 우리가족	• 몸의 각 부위의 명칭을 알고 자신을 소중히 생각할 줄 앎 • 가족 구성원을 알고 가족을 사랑하고 아낄 줄 앎
6	동물	• 동물 친구들	• 동물들의 생김새와 특징을 알고 이로운 점을 알고 사랑하는 마음을 가짐

월	주제	소주제	목표
7	여름	• 여름이 왔어요 • 신나는 여름방학	• 여름의 특성 및 변화와 물놀이 시 유의점을 앎 • 여름방학을 통해 지켜야 할 생활 규칙을 알고 규칙적인 생활 습관을 실천할 수 있음
8	여름방학	• 산과 바다	• 여름방학을 통해 돌아보았던 자연에 대해 이야기할 수 있음
9	교통기관	• 여러 가지 탈것	• 여러 교통기관에 대해 알고 공공시설 이용 시 지켜야 할 규칙을 앎
10	소리	• 다양한 소리	• 주변의 다양한 소리를 듣고 구별하며 좋은 소리가 무엇인지 알아봄
11	색과 모양	• 색의 변화 • 재미있는 모양	• 색의 변화에 호기심을 갖고 직접 탐구함 • 주변의 여러 재미난 모양에 관심을 갖고 알아봄
12	겨울	• 겨울이 왔어요	• 겨울의 변화와 특성을 알고 실내 놀이를 알아봄
1	설날	• 설날과 민속놀이	• 설날의 풍습과 우리 고유의 전통 민속놀이를 알 수 있음
2	즐거웠던 유아 기초반	• 언니, 오빠가 돼요	• 연령의 변화를 알고 신체의 성장을 앎

　월간계획은 활동을 하려는 달의 전월 둘째 주의 화요일까지는 세워야 하는데, 유아의 생일, 공휴일, 견학 계획 등 구체적으로 짜야 한다. 또한 계절과 관계있는 특별한 활동을 계획하거나 전체 학급에 공통적인 부분과 그렇지 않은 부분을 고려한다.

　주간계획은 한 주에 진행될 모든 활동을 구체적으로 계획해야 하는데, 교사뿐 아니라 책임을 지고 활동을 준비해야 할 사람도 함께 기록한다. 주제 중심의 통합적 접근 프로그램에서는 일과 시간표에 기초하여 이루어지므로 활동을 계획하는 데 구체적인 참고자료가 될 수 있으며 이에 대한 예시는 다음과 같다.

시간 요일	월	화	수	목	금
준비 사항	• 단번 차트 – 보조 교사 A	• 컵 케이크 요 리하기 준비 – 교사 • 콜라주와 이젤 준비 – 보조 교사 B	• 밤 삶기 준비 – 교사		• 견학 간식 준 비 – 보조교사 B(빵과 우유) • 견학 시 점심 음료수 준비 – 보조교사 A
도착 및 계획	• 개별 계획	• 전체 계획 – 생일 축하 계 획(이화경)	• 개별 계획	• 개별 계획	
자유 선택 활동	• 다양한 종류의 탈것 • 놀잇감(예: 버스, 승용차, 기차)				• 버스 좌석 정돈 – 교사, 보조 교사 A • 출석 체크 및 버스 승차 – 교 사 • 배밭 두착 전 견학 (배나무 관찰)
역할 놀이 영역	• 배낭, 모자, 등 산화 등 가을 활동복 첨가				
언어 영역		• 생일 카드 만 들기 • 운동회 경험 그림 모아 책 만들기	• 운동회 날 경 험 그린 그림 책 보며 이야 기하기	• 낙엽, 밤, 사 과, 감 모양 종 이 위에 쓰기	
수 · 조작 놀이 영역		• 나뭇잎 분류하 기		• 가을 열매 이 용한 패턴 만 들기	
과학 영역		• 요리하기 – 컵 케이크(요리하 기 순서표)	• 요리하기 – 밤 삶기	• 밤, 도토리 나 뭇잎, 솔방울 등을 확대경으 로 관찰	
조형 영역	• 운동회 경험 그리기			• 나뭇잎 콜라주	

시간 \ 요일	월	화	수	목	금
음률 영역	• 민속 노래에 맞추어 움직여 보기			• 나뭇잎 되어보기	
컴퓨터 영역	• 가을 열매 그리기				
간식	• 우유	• 컵 케이크, 오렌지 주스	• 삶은 밤, 우유	• 사과, 크래커	• 간식 준비(빵, 배) – 보조교사 A, B • 정리 정돈 – 교사, 보조 교사 A, B
대·소집단 활동(이야기 나누기, 동시, 동화, 동극, 음악활동, 신체 활동게임)	• 주말 지낸 이야기 • 운동회 경험 이야기 나누기	• 생일 축하(컵 케이크 및 촛불 준비) – 보조교사 B	• 날씨와 옷차림 어떻게 달라졌나 이야기 나누기	• 가을 열매들의 이름 대보기 • 맛 보기 게임	• 배나무 관찰 시 유의사항: 지정된 지역에서 배 따기 • 배 나뭇잎, 배 나뭇가지 관찰 • 보물찾기 게임
실외놀이 영역(조형, 역할, 음률, 신체, 물, 모래 탐색)	• 낙엽 줍기 • 훌라후프, 줄 넘기, 농구대 준비			• 낙엽 모아 태우기	• 버스 승차 및 인원점검, 좌석 안전 점검(교사) – 보조교사 A, B)
귀가 및 평가				• 배밭 견학 준비 – 준비물: 점심 준비	• 배밭에서 유치원 도착 후 바로 귀가 지도
기타				• 금요일 배밭 견학 재확인	• 점심: 배밭에서 (도시락)

다음은 만 3세 유아반의 주간교육 계획안의 예시이다.

소주제		우리 어린이집			실시 기간		
영역 ＼ 요일		월	화	수	목	금	토
등원 및 인사하기		선생님과 인사하고 기입장 알려주기			이름표 붙이는 법 알려주기		
실내 자유 선택 활동	미술 영역	마음대로 그리기/ 색분필로 종이에 그리기					
	소꿉 영역	소꿉 영역에 음식 차리기					
	언어 영역	그림책: 아기돼지 삼형제, 요술쟁이 곰돌이, 꼭꼭 숨어라					
	쌓기 영역	종이와 벽돌로 단위블록 길게 이어보기, 높이 쌓아요					
	수 · 과학 영역	같은 색을 찾아 주세요			확대경으로 사물 바라보기		
	음률 영역	여러 가지 악기 소리 내기		노래 부르기: 반갑다. 어디 있니?			
대 · 소집단 활동		반 선생님 소개	점심 소개		이야기 나누기 – 화장실 사용법		
실외 자유 선택 활동							
실내 놀이 기구 탐색하기			자유롭게 뛰어 보기	줄 따라 걷기		가볍게 깡총 뛰기	
점심 및 낮잠		음식 먹기 전에 손 씻기		자기 이불과 자리 찾기			
오후 실내 실외 자유 선택 활동		마음대로 그린 그림 놀이실에 붙이기					
			안전 널빤지 건너기		레고로 자유롭게 구성해 보기		
기본 생활 습관		배변 후 물 내리고 손 씻기					
교육 활동 참고		• 신입 원아 오리엔테이션 • 재원아 분반 수업(수) • 신입 원아, 재원아 합반 수업(목, 금, 토)					

출처: 삼성복지재단(1997), 삼성어린이집 유아 프로그램 3세

　일일 활동시간은 어떻게 구성할 것인지를 먼저 결정한 뒤 활동시간의 순서와 구체적 활동을 계획해야 한다. 주간계획에서 구체적 순서나 활동계획을 고려했기 때문에 세부적으로 계획하거나 활동이 가능한지를 확인한다.

다음은 만 3세 유아반의 일일교육 계획안의 예시이다.

시간	활동 내용	자료
~ 09 : 00	• 등원: 반갑게 맞이하기 • 모든 유아들이 등원할 때까지 악기 탐색하기	• 다양한 악기들
~ 10 : 00	오전 간식	
~ 10 : 50	• 자유 선택 활동 　– 언어 영역: 동물 울음소리 알아맞히기 　　* 여러 가지 동물 카드를 책상에 올려놓음. 　　* 각각의 동물 소리를 예상함. 　　* 카세트에 나오는 동물 소리를 주의 깊게 들으며 동물 카 　　　드를 찾음. 　　– 음률 영역: 물병 실로폰 　　　* 각각의 병에 다른 물을 담아 놓고 어떤 소리가 날지 예 　　　　상해 본 후 실로폰 채로 연주함.	• 동물 카드, 카세트, 　동물 울음소리 • 투명한 물병, 물감, 　테이프
~ 11 : 00	정리 정돈 및 전이 활동	
~ 11 : 30	실외 놀이	
~ 11 : 50	손 씻기, 점심 준비	
~ 12 : 50	점심 식사 및 양치질하기	
~ 14 : 00	낮잠 준비 및 낮잠, 휴식 시간	
~ 14 : 30	동화 및 음률 활동 – 나팔 동굴의 소리요정	동화 자료, 악보, 신체 표현 자료
~ 15 : 00	오후 간식	
~ 15 : 30	미술 활동: 종이컵 만들기	종이컵. 실, 풀, 종이, 시트지
~ 16 : 30	• 오후 자유 선택 활동 　– 과학 영역: 소리테이프 　– 수 영역: 리듬 패턴 놀이	여러 가지 악기소리 나는 그림, 그래프 종이, 투명한 물병, 물감
~ 17 : 00	정리 정돈	
~ 18 : 30	하루 일과 정리 및 귀가	

하루의 활동을 구성하는 것은 활동영역을 구성할 때처럼 유아의 연령과 프로그램의 유형에 따라 달리한다. 그 내용에는 유아가 유아교육기관에 도착하여 수업을 준비하는 것 외에도 계획시간, 자유선택 활동시간, 이야기 나누기 시간 및 집단토의 및 평가시간, 낮잠 시간, 실외놀이, 간식과 점심시간, 대집단 활동 등이 있다.

활동유형과 시간길이를 정한 다음에는 순서를 결정해야 하는데, 다음과 같은 여러 가지 상황을 고려해야 한다. 활동은 참여하는 방법에 따라 동적 활동과 정적 활동으로 구분되므로 두 활동이 교차되도록 하고 유아가 탐색 후에 활동을 설계하여 실행하고 유아 학습에 대한 평가를 내리는 계획-활동-평가의 과정을 거치게 한다.

또한 소집단, 대집단, 교사-유아, 유아-유아 간의 다양한 상호작용을 제공하고 유아와 교사가 각각 제안한 활동을 고르게 배치한다. 실외활동을 계획할 때에는 놀이터 공간 크기, 실외놀이 기구 수, 학급 수, 지원 인력 수 등을 고려하여 변동이 불가능한 시간을 미리 정한 다음에 그 외 시간을 배치한다. 이 외에도 실내·외 활동장소 등 다양한 공간에서 활동할 수 있는 기회를 제공해야 한다.

여러 연구결과에서 교사와 유아 간에 긍정적이고 지원적이며 개별적인 상호작용이 이루어질 때 유아의 최적 발달이 가능하다고 보고하고 있다(Day & Sheehan, 1974; NAEYC, 1984).

스미스와 코놀리(Smith & Connolly)는 연구결과를 통해 반응적인 교사와 상호작용을 하는 유아는 그렇지 않은 유아보다 좀 더 안정적인 애착을 보인다고 제시했다. 또한 유아에게 민감하게 반응하고 유아의 참여를 제안하는 조성자의 역할을 하는 교사는 유아와 상호작용하는 횟수와 활동에 집중하는 시간도 길었다.

교사가 유아와 상호작용을 하는 교수 유형은 비지시적 유형뿐만 아니라 지시적 유형까지 8가지로 구분될 수 있는데, 조성하기, 인정하기, 모델 보이기, 지지하기, 함께 구성하기, 시범 보이기, 비계설정하기, 지시하기가 이에 해당한다. 이러한 8가지의 교수 행동 유형은 유아의 바람직한 발달을 위해 필수적이며 학습 상황과 유아의 특성에 따라 유형을 적절하게 선택해야 한다.

지시의 강도를 기준으로 위의 8가지 유형들을 연속선상에 배열한다면 강요하기나 방해하기는 가장 지시적인 교수 행동에 해당한다. 학습환경이 구성된 후에 유아의 발달에 적절한 교육이 이루어지기 위해서는 교사가 아동을 중심으로 한 상호작용적 학습을 실천해야 한다. 하지만 이 과정에서 한 가지의 교수 유형만 고집하는 것은 비효과적이며 지시적 및 비지시적 교수 행동 유형을 적절하게 활용해야 한다.

3. 4세 유아의 특성

4세 유아는 여러 영역에서 급속한 발달을 보이게 된다. 신체적으로는 대근육 활동이 더욱 활발해지고, 신체적 기술도 발달하여 독립적이고 적극적인 운동을 하게 되어서 한 발로 뛰거나 평균대 위를 걸어 갈 수 있다. 이에 못지않게 소근육 운동도 향상되어 오랜 시간이 걸리지만 협응력이 요구되는 조작적 기능도 할 수 있다.

또한 사회성이 발달함에 따라 또래는 물론 특히 동성 친구에게 관심이 많아진다. 뿐만 아니라 점차 타인의 요구사항을 이해하게 되고 규칙을 배울 수 있으며 상대방을 도울 수 있다. 역할놀이도 많이 하지만 조직적 역할 분담은 아직 이루어지지 않는다.

정서발달의 큰 특징은 자아 효능감이 더욱 커져 상대에게 과시하고 싶어한다는 것과 스스로 감정을 통제하기도 하지만 인내심이 부족하여 참지 못한다는 것이다. 또한 공포감을 이유 없이 느끼기도 한다.

4세 유아는 인지발달이 이루어지면서 타인이 갖는 생각과 느낌을 이해하고,

사건의 인과 관계를 파악하게 된다. 또한 명확하지는 않지만 상상과 현실을 구분하는 것이 어느 정도 가능해지고, 물체의 속성을 이해하여 차이점을 발견할 수 있게 된다. 뿐만 아니라 탐구력과 주의 집중력이 강해지면서 흥미 있는 일에 몰두하게 된다.

이 시기의 유아는 급속한 언어발달로 인해 약 1600개의 어휘를 습득하게 되며 거의 완전한 문장으로 말하여 다른 사람과 대화가 가능해진다. 특히 과장하는 말이나 유머 말하기를 좋아하고, 추상적 질문을 많이 하며 노래 부르기도 좋아한다. 또한 모양 변별력이 생기면서 읽고 쓰기에 관심을 보이기 시작한다.

4. 5세 유아의 특성

만 5세 유아의 발달특성 중 다리의 성장이 두드러지는데, 성인의 신체비율과 가까워지고, 몸의 균형을 이루게 된다. 따라서 놀이를 통해 자신의 운동기술을 다양하게 시도하고, 주변에 대한 호기심이 왕성해져서 관찰하는 것을 좋아한다.

이 시기의 유아는 신체발달로 인해 신체의 균형을 유지하는 것이 가능해져 뛰고 달리는 활동이 많아지는 등 적극적인 신체놀림을 하게 된다. 또한 한 발로 뛰거나 뛰어넘기를 할 수 있고 소근육 조절도 정교해진다.

또한 사회성이 발달하면서 자신과 흥미나 욕구, 체격이 비슷한 또래와 상호작용을 많이 하며, 연합놀이나 협동놀이를 하게 된다. 뿐만 아니라 타인의 생각과 견해를 인식하고, 또래와 조화를 이루며 사회적 기술과 규칙을 배울 수 있게 된다. 특히 또래가 인정해 주는 것에 민감하고 또래의 규제력이 중요한 사회적 준거가 되기 때문에 그들과 정한 규칙은 지키려고 하며 또래 관계를 통해 소속감을 갖게 된다.

정서의 발달은 이 시기 유아로 하여금 스스로 자신의 감정을 표현할 수 있게 하며 상황에 맞게 부정적 정서를 절제하거나 감추는 것을 가능하게 한다. 또한 상상력이 풍부해지면서 가상 인물을 상상하거나 흉내 내기도 한다.

인지적 발달을 통해서는 구체적인 사물을 지각하고, 논리적 사고능력에 기초한 보존 개념과 시·공간 개념 및 인과 관계에 대한 지각이 가능해진다. 또한 기능의 속성에 따라 사물을 분류하고 서열화할 수 있으며 주의집중 시간이 길어짐과 동시에 기억력도 증가한다.

또한 언어의 발달로 인해 만 5세 유아의 언어는 성인과 거의 비슷해지며 타인의 이야기를 듣는 태도를 갖출 수 있으며 또래끼리 의견을 토론하기도 한다. 뿐만 아니라 자신이 아는 글자에 대한 관심도 높아진다.

영유아를 위한 바람직한 환경

학습목표 – 학습활동 운영방법을 익힐 수 있다.
– 활동실 구성의 기본 요소를 알 수 있다.
– 영아, 유아를 위한 활동실 구성방법을 이해하고 익힐 수 있다.

1. 영유아를 위한 교수학습 활동의 운영방법

1) 환경구성

교사가 계획한 학습이 효과적으로 이루어지려면 여러 요소를 충족시켜야 하는데, 먼저 유아가 흥미 있게 참여하며 기본적으로 구성된 환경을 토대로 한 일일 활동의 구체적 자료뿐만 아니라 매일의 활동 시간에 대한 지도가 바람직하게 이루어져야 한다. 하지만 일간, 주간, 월간계획이 아무리 치밀하게 구성되어 있어도 특정한 상황이 있을 때마다 융통성 있게 결정을 내려야 한다.

교사는 영유아가 원에 도착하기 전에 미리 교실환경을 계획하고 준비해야 한다. 교실은 활동에 따라 영역별로 구성되는데, 활동주제에 따라 변화가 가능하다. 활동영역에는 주제에 따라 바뀌는 교구재와 주제가 바뀌어도 그대로 활용되는 교구재가 있어야 하며, 주제가 바뀔 때마다 그와 관련된 자료를 일반 자료와 함께 소개한다.

2) 자유선택활동의 준비 및 지도

교사는 자유선택활동을 계획하고 지도할 때 각 활동영역에서 진행되고 있는 주제나 유아의 발달수준을 기초로 하는데, 이를 통해 유아는 활동영역과 정보 간에 의미 있는 연결을 지을 수 있지만 그 활동을 하는 유아의 개인적 선택 또는 집단의 결정에 따라 목적이 바뀔 수도 있다.

교사는 활동 전에 각 영역의 새로운 활동을 소개하고 유아가 영역과 놀이방법을 스스로 선택하도록 한다. 이때 다양한 과제와 소집단의 협력이 필요한 과제가 각 흥미영역마다 고르게 포함되도록 한다. 활동이 시작되면, 교사는 유아가 어떤 활동을 선호하는지, 얼마나 활동에 집중하는지 등을 관찰하여 각 개인의 놀이 특징을 알고, 같은 영역의 놀이만을 선택하는 유아에게는 다른 활동에도 참여하도록 놀이지도를 실시한다.

또한 자유선택활동은 정해진 영역 안에서 활동하고 다른 곳으로 갈 때에는 놀던 영역의 장난감과 의자를 정돈하며, 자료는 한 번에 한 가지씩만 사용하도록 규칙을 알려 준다.

3) 집단활동 시간을 위한 준비 및 지도

교사는 집단활동 시간을 가질 때에는 일과표에 미리 시간을 확정하고 대집단 활동을 수용할 만큼 크고 주의가 집중될 수 있는 곳을 집단활동 영역으로 정하며 좌석을 계획한다. 집단활동은 유아의 연령, 경험, 발달 정도에 따라 동화, 동시, 음률, 게임, 이야기 나누기, 과학, 동화 짓기 등이 골고루 제공될 수 있도록 한다. 따라서 교사는 유아를 적극적으로 참여시키기 위해 유아가 흥미로워할 것으로 예상되는 활동별로 순서를 계획한다.

그 다음 단계에서는 분위기를 돋우는 동작과 노래로 유아의 주의를 환기시킨 후, 유아의 시선을 집중시키는 방법으로 이야기를 들려주고 토의를 하거나 시범을 보여 준다. 본격적으로 집단활동을 시작하면 유아에게 민감하게 반응하여 행동에 따라 융통성 있게 계획을 변화시켜 활동시간을 조절하며 전체 유아와 각 유아의 반응 모두를 고려해야 한다. 활동이 마무리 되면 유아의 연령과 발달수준에 적합한 평가를 하고, 그 내용은 활동의 특징에 따라 자율적으로 결정한다. 이러한 평가방법을 통해 유아는 자신에게 기대되는 집단행동을 알 수 있게 된다.

4) 간식 준비 및 지도

영양성분을 고려하여 아침과 점심 식사 사이에 제공한다. 유아는 간식시간을 통해 음식을 나누어 먹기 등 바른 식사습관을 형성하고, 언어적 상호작용과 사회성을 익힐 수 있다.

5) 실외활동 준비 및 지도

실외활동은 실내활동의 연장으로 교실의 바깥 공간에서 이루어지는 유아의 놀이활동이다. 유아는 실외놀이를 하면서 활발하게 움직이고 자유롭게 탐색활동을 하며 무한한 가능성을 발휘할 수 있다. 실외활동을 계획할 때에는 대근육 활동과 다양한 활동, 자료뿐만 아니라 실외놀이를 활성화시킬 수 있는 소도구도 함께 준비한다면 유아가 더욱 적극적으로 참여할 수 있다. 이처럼 유아는 자연물과 기구를 직접 다루고 놀이하면서 신체적 발달을 이루는 동시에 자연 세계에 대해 많은 것을 학습할 수 있다.

6) 점심 준비 및 지도

점심시간은 단순히 유아에게 필요한 영양분을 제공하는 것이 아니라 음식에 대한 태도, 식습관, 식사예절 등을 지도할 수 있는 시간이라고 할 수 있다. 따라서 교사는 모든 유아를 볼 수 있는 곳에 앉아서 지도하며, 유아에게 적절한 양을 주어 성취감을 느낄 수 있도록 하고 세심하게 관찰하여 상황에 따라 양을 조절하게 한다. 식사 후에는 이 닦기나 먹은 식기를 정리하게 하여 기본 생활습관을 익힐 수 있도록 지도해야 한다.

7) 낮잠 준비 및 지도

취침실이 없는 기관의 유아는 각자의 매트를 깔고 낮잠을 잔다. 이때 교사는 커튼이나 블라인드를 쳐서 방을 어둡게 하여 휴식할 수 있는 안정적 분위기를 조성한다. 낮잠을 자는 시간은 유아의 특성과 생활패턴 등에 따라 다르므로 개인에 따라 적절한 시간을 조절하도록 한다.

2. 공간구성 시 고려사항

1) 발달 측면을 고려한 적합한 공간

영유아는 근본적으로 성인과 다른 존재이며 특히 영유아기는 성인기와 달리 신체의 변화가 급속하게 이루어지는 시기이므로 영유아 간에 일어나는 변화의 차이는 성인들보다 더 큰 의미를 지닌다. 따라서 교사는 환경을 계획할 때 영유아의 발달적 변화를 이해하고, 지속적으로 발달하도록 모든 활동과 발달의 연관성을 고려해야 한다.

2) 교육과 양육이 복합된 공간

최근에 교육과 양육의 개념을 합성한 'EDU-CARE'가 등장하면서 두 개념이 통합되어 공존하는 환경을 만들려는 노력이 일고 있다. 양육의 기능은 영아기에서 유아 후기로 갈수록 점차 교육의 기능으로 전환되는데, 그 이전의 시기에는 교육과 양육의 개념이 조화를 이루어야 한다. 연령에 따른 시설의 기능 및 개념은 아래와 같다.

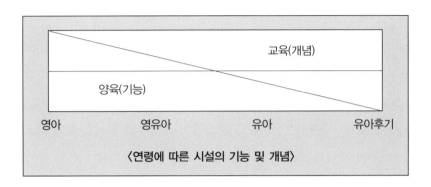

〈연령에 따른 시설의 기능 및 개념〉

3) 기타 고려사항

기본적인 생활환경과 놀이 및 학습이 통합된 공간은 특수한 환경이라고 할 수 있다. 연령과 발달단계에 따라 중시되는 활동의 비중이 달라지므로, 쾌적한 기본 생활행위와 매력적이고 즐거운 놀이, 학습이 효율적으로 이루어질 수 있는 환경을 구성해야 한다.

또한 보육시설은 성인과 영유아가 함께 생활하기 때문에 두 대상의 요구를 만족시킬 수 있는 환경이어야 한다. 다른 자원과 함께 존재하는 공간은 인적·물적·자원적 특성으로 인해 초기 환경의 성격이 변질될 수도 있으므로 각별한 주의를 기울여야 한다.

3. 영아를 위한 환경구성

1) 환경구성의 목적

클릭(Click, 2000)은 영유아를 위한 환경을 구성할 때에는 영아들의 여러 요구를 충족시키는 데 목적을 두어야 한다고 주장했다. 따라서 보기, 맛보기, 만져 보기, 듣기, 냄새 맡기와 같은 다섯 가지 감각을 이용해 탐색이 가능한 환경을 제공하고 걸음마를 시작한 영아들에게는 주변을 자유롭게 다닐 수 있는 공간과 기회를 마련해야 한다.

또한 이 시기의 영아의 과업은 자존감을 발달시키는 것이므로 여러 영아들과 상호작용을 하고 화장실 가기, 신발 신고 벗기, 먹기, 옷 입고 벗기 등과 같은 기술을 스스로 습득할 수 있는 경험을 제공해 준다. 뿐만 아니라 교사와의 상호작용은 영유아에게 기본적인 신뢰감을 형성하여 안정적인 정서를 갖게 하고 언어발달을 이루어 자신의 요구를 표현하고 다른 사람과 상호작용을 할 수 있도록 해 준다.

2) 환경구성 시 고려사항

영아를 위한 환경은 안전하고, 발달적으로 적합하며 다양한 감각경험을 제공하는 동시에 융통성이 있어야 한다(Click, 2000). 영아들은 자신이 어떤 사물에 행위를 가하면 무슨 일이 일어나는지 알기 위해 밀고 잡아당기는 등 적극적인 탐색을 시도하므로 교사는 위험 요소를 제거하여 새로운 기술을 습득하여 도전할 수 있도록 안전하고 자유로운 환경을 제공해야 한다.

발달적으로 적합한 환경은 자료가 영아의 흥미와 능력을 고려한 활동이며 크기가 적당하고 너무 단순하거나 복잡하지 않고 대소근육 운동, 언어 및 인지의 발달이 모두 이루어질 수 있어야 한다. 주로 다섯 가지 감각을 사용하는 영아의 특성에 따라 시각적 자극을 위해 창문이나 천장 등에 큰 공, 풍선, 모빌, 그림, 조명 등을 달거나 그림책, 안전거울을 설치할 수 있다. 청각적 자극을 위해서는 소리 나는 종이나 인형, 음악상자를 마련하고 음악을 틀거나 풍경의 자연소리를 제공하는 것도 좋다.

촉각 자극을 주기 위해서는 부드러운 재질의 카펫과 딱딱한 바닥 재료를 함께 마련하는데, 다양한 질감의 천 조각이면 더욱 좋다. 이와 함께 부드러운 쿠

선과 구슬이나 열쇠 등 딱딱한 재질의 물건, 색소로 물들인 마카로니 등도 제시한다. 미각과 후각 자극을 위한 환경은 청결함을 우선시하며 상쾌한 향이 나고 실제의 맛과 향을 즐길 수 있는 음식과 간식, 향기 있는 꽃과 과일 등은 물론 순한 향을 지닌 깨끗하고 살균력이 있는 교재 교구까지 포함한다. 또한 급속한 성장과 발달을 하는 영아의 특성을 고려하여 이동 가능한 칸막이, 바퀴 달린 비품이나 설비, 큰 매트 등을 이용해 융통성 있는 환경을 구성한다.

3) 영역별 환경구성 및 구비자료

3~12개월 된 영아의 영역별 발달을 위한 실내 환경구성 자료에는 다음과 같은 것들이 있다.

영역	구비자료
일상 생활 영역	• 기저귀 • 물휴지, 비누, 로션 • 딸랑이, 모빌, 재미있는 소리가 나는 음악상자 • 안전 거울 • 부드러운 헝겊인형 • 집에서 가져온 이불이나 베개, 봉제인형이나 동물 • 영아용 침대나 매트 • 규칙적인 리듬, 노래, 자장가가 들어 있는 테이프와 녹음기 • 성인이 조작하는 음악상자
신체 영역	• 영아용 침대에서 사용이 가능한 운동놀이 기구(손이나 발동작으로 효과를 나타낼 수 있는 것) • 스펀지 블록, 공(천이나 플라스틱) • 밀고 당기는 장난감(단순하여 손에 쥘 수 있을 만한 크기) • 기어오를 수 있는 계단이나 경사로 (부드러운 솜이나 스펀지를 넣을 수 있는 것) • 그네(등과 양 옆, 앞면에 안전벨트가 있는 것)
언어 영역	• 소파나 쿠션 • 성인이 읽어주는 리듬이 있는 단순한 그림책 • 퍼펫(손인형) • 촉감책 • 플라스틱으로 만든 소리를 내거나 빨 수 있는 그림책 • 헝겊책 • 봉제인형 • 그림이나 사진
탐색 영역	• 딸랑이, 꼭 쥘 수 있는 장난감 • 작은 원판, 고리에 끼워져 있는 열쇠 • 각종 악기류, 마라카스 • 소리 나는 장난감, 누르면 튀어 나오는 장난감 • 천으로 만든 패드나 담요, 질감이 다양한 인형류 • 안전 거울, 모양을 집어넣을 수 있는 상자 • 쌓기 장난감, 고무나 플라스틱으로 된 고리 끼우기

13~24개월 된 영아의 영역별 발달을 위한 실내 환경구성 자료에는 다음과 같은 것들이 있다.

영역	구비자료
대소 근육 영역	• 탈것들(끌차, 붕붕차, 밀고끌 수 있는 유모차) • 큰 종이상자 등 • 낮은 미끄럼, 오름틀 • 공 • 큰 종이 블록, 우레탄 블록 • 넓은 나무판, 낮은 계단 • 흔들말 • 자동차 장난감 • 나무구슬 꿰기 • 두드리기(망치놀이) • 구멍에 넣을 수 있는 통과 큰 단추
언어 영역	• 안락한 쿠션이나 방석 • 융판 • 다양한 그림들 • 다양한 그림책 • 일상생활에서 볼 수 있는 친숙한 자료들 • 손인형(모자, 인형, 장난감, 전화 등)
탐색 영역	• 소리 나는 장난감 • 모양상자, 모양카드, 자료 • 촉감 자료 • 도화지 • 구슬 • 간단한 악기류(방울, 리듬막대, 마라카스) • 자연에 관한 그림이나 사진 • 동물 장난감 • 녹음기 • 실물 보관 상자, 어항 • 무독성 크레파스 • 끼워 넣기 장난감 • 그림 끼우기 • 뚜껑 있는 병
극화 영역	• 그림들 • 장난감 전화 • 인형 • 부엌용품 • 의상 • 부엌 가구 • 인형 침대 • 안전 거울

25~36개월 된 영아의 영역별 발달을 위한 실내 환경구성 자료에는 다음과 같은 것들이 있다.

영역	구비자료
대 근육 영역	• 탈것들(끌차, 붕붕차, 밀고 끌 수 있는 유모차) • 큰 종이상자 등 • 낮은 미끄럼, 오름틀, 공 • 큰 종이 블록, 우레탄 블록, 넓은 나무판 • 낮은 계단, 흔들말
언어 영역	• 안락한 쿠션이나 방석, 다양한 그림책 • 손인형, 융판 • 다양한 그림들 • 일상생활에서 볼 수 있는 친숙한 자료들 (모자, 인형, 장난감, 전화 등) • 크기가 비교될 만한 물건들
미술 영역	• 풀, 헌 종이, 찰흙 • 도화지, 가위 • 크레파스, 색연필, 사인펜, 그림붓 • 손가락 그림물감, 포스터물감

영역	구비자료
음률 영역	• 간단한 악기류(손목벨, 드럼, 흔들기, 실로폰, 심벌즈, 캐스터네츠, 템버린, 장난감 악기들 등) • 테이프, 녹음기 또는 전축, 관련 그림 • 노래 제목을 적은 목록
쌓기 영역	• 나무블록, 동물인형 • 우레탄 블록, 나무인형 • 자동차, 놀이집, 가구 • 종이 블록, 레고 블록 등
물─ 모래 영역	• 플라스틱 삽, 갈고리 • 크기가 다른 여러 개의 통 • 깔대기 • 구멍이 큰 파이프 • 소꿉놀이용 그릇, 큰 자동차 • 주전자 • 체 • 스프레이 • 고무된 인형 • 욕조나 대야
탐색 영역	• 나무, 꽃 • 화분, 물뿌리기 • 동물 사육장, 동물(토끼, 병아리, 오리 등) • 바퀴 • 실내에서 모은 것을 담을 바구니
작업 영역	• 화판 • 종이 • 크레파스, 그림물감, 굵은 붓 • 비닐 옷 • 낮은 책상, 비닐 • 플라스틱 못, 놀이용 망치

4. 유아를 위한 환경구성

유아기에는 전체 일과에서 놀이를 통한 학습의 비중이 증가하므로 일상생활 영역을 제외한 영역에서 다양한 활동을 할 수 있도록 구성해야 한다.

교사는 유아를 위한 환경을 구성할 때 기관에서 구성된 프로그램의 유형에 따라 그 방법을 다르게 해야 한다. 유아의 연령에 적합하도록 각 반을 구성하며, 기관의 특성상 항상 유아의 활동과 성인의 개입 때문에 소음이 발생하므로 그 수준을 고려하여 영역을 배치한다. 또한 유아는 즐거운 환경에 적극적으로 반응하므로 매력적인 색상과 설계가 잘된 설비들로 구성하고 유아가 위에서 내려다볼 수 있도록 배치한다. 또한 유아가 문화적, 지역적, 인종적 다양성을 수용할 수 있는 자료를 이용한다.

이러한 환경구성은 하나의 형태로 고정하기보다 교육목적에 맞게 교재·교구와 시설설비를 효율적으로 배치하는 것이 좋다. 만약 유아가 교사가 생각하

지 못한 방식으로 환경을 이용한다면 융통성을 발휘하여 환경을 변화시켜 주어
야 한다.

영역	구비자료
소꿉 놀이	• 유아용 가구(스토브, 싱크대, 냉장고, 탁자, 의자, 침대, 거울 등) • 주방용품(접시, 주전자, 프라이팬, 국자, 컵, 숟가락, 포크, 도마, 플라스틱 칼, 그릇 등) • 옷을 갈아입을 수 있는 남녀 인형 • 음식모형(플라스틱 과일이나 야채, 고기, 빵, 계란 등) • 장신구, 청소 도구, 전화기 • 특수한 요구를 지닌 사람들이 사용하는 도구와 장비(지팡이, 부목, 바퀴차, 보청기, 목발 등)
병원 놀이	• 간이 침대나 인형 침대 • 담요, 작은 베개 • 청진기 • 가운, 간호사 모자, 수술용 마스크 • 밴드, 약병 • 면봉, 고무밴드
주유소 놀이	• 주유 펌프, 짧은 호스 • 표시판 • 간단한 수리를 할 수 있는 경사 • 도구와 도구 상자(렌치, 드라이버, 플래시 등)
소방관 놀이	• 짧은 소방 호스 • 소방관 모자와 재킷 • 소방 도구
이·미용사 놀이	• 머리핀, 빗, 손거울 • 화장품 용기 • 부드러운 솔 • 면도기 • 플라스틱 칼, 가위 • 어깨 덮는 가운

취학 전 유아의 활동영역은 쌓기 영역, 역할놀이 영역, 학습 영역, 창의적 활
동 영역, 언어 영역, 음악 영역, 수·과학 영역, 요리 영역, 컴퓨터 영역 등으로
구성할 수 있다.

쌓기놀이 활동을 통해 유아는 대근육과 소근육 발달뿐만 아니라 사회성, 문
제해결력, 수학적 개념을 형성할 수 있다. 따라서 영역을 구성할 때에는 선반과
장, 각종 블록류와 타원형 커브, 원기둥, 널빤지, 연결용 경사로, 각종 소품(자동
차류, 교통표지판, 도로, 사람, 집 등)뿐만 아니라 유아의 아이디어를 자극할 수
있는 건축물의 그림과 사진도 함께 비치해 둔다.

유아는 역할놀이 영역에서 놀이를 하며 사회적 기술과 능력을 키우며 다른 사람의 입장을 이해하고 자신이 본 행동을 일정 시간이 지난 후에 내적으로 표상하여 그 장면을 재현하는 지연 모방을 할 수 있으며, 관찰력과 창의적 사고를 기를 수 있다. 역할놀이 영역의 준비 자료는 놀이별로 다음과 같은 자료를 구비하면 좋다.

미술 영역은 유아에게 사물을 자유롭게 탐색하고 실험할 수 있는 기회를 제공하고 다양한 기술을 발달시킬 수 있도록 구성해야 한다. 따라서 재료는 이젤과 다양한 크기의 붓, 그리기 도구, 펀치, 스테이플러, 테이프, 거울, 가위, 자, 풀과 같은 기본적인 것뿐만 아니라 콜라주 재료(천조각, 병뚜껑, 우유팩, 리본, 구슬, 반짝이, 잡지 등), 질감이 있는 재료들(모래종이, 고무, 플라스틱, 벽지 등)이나 스티로폼, 이쑤시개, 여러 가지 폐품, 바느질 도구 등 다양한 것일수록 좋다.

언어 영역에는 듣기, 말하기, 읽기, 쓰기 등 언어의 모든 영역을 고루 발달시킬 수 있는 재료를 준비해야 한다. 따라서 이어폰, 녹음기, 테이프 등의 듣기 자료와 작은 융판, 이야기 꾸미기 재료, 각종 인형, 그림으로 읽는 동화, 각종 그림 카드 등의 말하기 자료, 쉬운 글자가 들어 있는 그림책, 각종 카드, 영수증, 편지, 만화책 등의 읽기 자료뿐만 아니라 4B 연필, 자석칠판, 각종 종이, 글자 바느질, 작은 책 등 다양한 쓰기 자료를 비치해 둔다.

음률 영역은 유아가 다양한 음악을 감상하고 악기를 다루며, 자신의 느낌을 신체로 표현할 수 있으므로 음악 감상 자료, 악기류, 악기, 교사나 유아가 직접 만든 악기, 그림이나 음악 게임, 악기 연주를 녹음하여 자신의 음성을 들을 수 있게 하기 위한 공테이프 등을 마련한다.

유아는 수·과학 영역에서의 놀이를 통해 수학적, 과학적 단어에 대한 이해력과 어휘력, 개념을 형성할 수 있으며 창의성의 주 요소인 민감성과 성취감을 기를 수 있다. 따라서 교사는 세기, 분류하기, 무게 재기, 측정용 자료들과 온도

계, 프리즘, 자석, 자, 저울 확대경, 실제로 성장하는 동물과 식물, 각종 표본 그리고 사전이나 과학도서, 구슬 단추와 같이 분류할 수 있는 구체물 그리고 순서를 지어 볼 수 있는 컵, 병뚜껑 등과 같은 구체물을 구비한다.

요리활동은 요리의 종류에 따라 다른 영역을 함께 이용하거나 독립된 영역으로 구성할 수도 있다.

컴퓨터 영역에서는 컴퓨터를 바르게 사용하는 법을 익힐 수 있으며, CD-ROM 교육 자료나 인터넷 등 다양한 컴퓨터 자료들이 있다.

실외놀이 영역은 대근육 활동, 구성활동, 과학활동, 역할놀이 활동, 언어활동, 음률활동 등 다양한 활동이 이루어지므로 비교적 크고 개방적 공간으로 구성된다.

유아의 건강 · 안전 · 영양

제 9 장

학습목표
– 영아기와 유아기의 건강지도의 필요성을 이해할 수 있다.
– 관리되어야 할 질병의 종류를 알고 대처방안을 설명할 수 있다.
– 안전지도의 필요성을 이해하고 안전지도 방법을 습득하여 실행할 수 있다.
– 영아기와 유아기의 영양지도의 필요성을 이해할 수 있다.
– 바람직한 식습관 형성을 위한 지도방법을 습득하고 실행할 수 있다.

1. 건강지도

1) 건강지도의 필요성

영유아기는 일생 중에서 신체발달이 가장 급격하게 이루어지지만 성인에 비해 면역력이 약한 영유아의 신체적 특징과 기본 생활습관과 태도가 형성되는 시기임을 고려할 때 건강지도에 있어 매우 중요하다고 할 수 있다.

따라서 한국행동과학연구소에서는 1992년에 '어린이집 보육교사를 위한 영유아 보육 프로그램'에서 건강지도의 목표를 다음과 같이 제시했다.

첫째, 영유아의 건강 유지를 위해 청결하고 쾌적한 주변 환경을 제공한다. 이를 위해서는 놀이 영역과 낮잠 영역(카펫, 침구류, 매트 등)의 상태를 점검하고 청결함을 유지해야 한다. 장난감 및 개인 물품(놀이감, 병, 컵 등)과 기저귀와 수건은 물론 기저귀대도 항상 청결하도록 한다. 또한 적절한 온도, 습도, 채광, 조명, 환기를 통해 쾌적한 실내 환경을 제공하며 규칙적 휴식, 식사, 생활 리듬, 소음 방지를 위해 노력해야 한다.

둘째, 신체적으로 병든 유아와 심리적으로 결핍을 느끼는 유아에게 따뜻한 간호와 보호를 해 준다. 아픈 유아에게는 안락한 휴식 장소를 제공하고 적절한 체온을 유지하게 하며 증세에 따라 투약을 한다. 뿐만 아니라 영유아가 심리적 결핍을 느끼지 않도록 스킨십과 다정함을 통해 따뜻하게 보살펴 준다.

셋째, 질병 예방을 위해 일일 건강 검진(안색, 발열, 배변, 청결, 건강 진단표 작성)과 정기적 건강 진단을 실시한다.

끝으로 건강습관에 대한 지도를 통해 규칙적인 생활을 유지하도록 한다.

2) 건강 관찰과 기록

교사는 매일 아침 영유아가 등원할 때마다 건강상태를 관찰하고, 건강에 문제가 있는 영유아는 일과활동을 하는 상태를 지속적으로 보고 건강 관찰표에 체크한 후 부모에게 알리도록 한다.

건강 관찰표의 세부내용은 다음 표에 제시되어 있다.

구분	세부내용	관찰결과
표정	밝은 얼굴 / 웃는 얼굴 / 활기찬 얼굴	
병색의 유무	기침 / 콧물, 코막힘 / 눈의 충혈 / 눈꼽 / 피부의 상처나 염증 / 호흡할 때의 냄새 / 멍자국 / 창백함 / 두통 / 복통 / 코피 / 귀의 통증	

구분	세부내용	관찰결과
행동의 특징	• 부모와 잘 떨어지는가? • 정상적인 자세인가? • 보통 때처럼 활동에 잘 참여하는가? • 화장실에 자주 가지 않는가? • 피곤해하거나 지친 듯 하지 않는가? • 눈을 자주 비비거나 귀를 자꾸 만지지 않는가? • 보통 때처럼 잘 먹는가?	
청결감	• 얼굴, 손, 머리 등이 깨끗한가? • 손톱을 잘 깎았는가? • 입이나 몸에서 냄새가 나지는 않는가? • 의복은 깨끗하고 기후에 맞는가?	

어린이집에서의 건강검진은 크게 두 가지로 구분할 수 있는데, 키와 몸무게 등의 측정을 통해 영유아의 정상적인 발육상태를 알 수 있는 체격검사 및 전문의의 진단을 통해 유아의 건강상태를 파악하는 체질검사가 이에 해당한다.

3) 질병관리

영유아교육기관에서는 다수의 영유아가 일정한 공간에서 장시간 동안 함께 생활하므로 병의 전염이 빠르게 진행될 가능성이 높다. 따라서 교사는 영유아가 주로 걸리는 질병의 증상을 미리 파악하여 전염병이 발생할 경우 신속하게 질병에 걸린 유아를 다른 유아와 격리시키고 회복 후에 등원할 수 있도록 조치해야 한다.

영유아에게 발생할 수 있는 주요 질병과 증상에 대한 내용은 다음과 같다.

병명	증상	잠복기간	결석기간
홍역	발열, 재채기, 결막염, 발진	9~13일	발진이 없어질 때까지(발진후 5일간)
수두	발열, 발진, 물집이 생김.	10~21일	딱지가 없어질 때까지(발진후 7일간)
유행성 이하선염 (볼거리)	발열, 귀 밑이 부어오름.	9~21일	귀 밑 부기가 다 빠질 때까지
풍진	가벼운 감기 같은 증세	10~21일	증상이 없어질 때까지 (대개 발진 후 5일간)
백일해	열은 없고 밤에 기침이 심해짐	7~14일	특유의 기침이 없어질 때까지 (발병 3~4주)
유행성 감기	발열, 기침, 목이 아픔, 뼈마디가 아픔.	1~3일	주요 증상이 사라질 때까지
유행성 결막염	눈이 붓고 흰자위가 충혈되며 눈곱이 많이 생김.	7일	주요 증상이 사라질 때까지
농기진	얼굴이나 수족에 쌀알 크기부터 대두 크기의 발진, 수포가 생김.	2.5일	염증기가 지나 한부치료, 포대를 하고 부터
수족구병	38도 정도의 고열, 1~2일간의 입속, 손바닥, 발바닥에 수포가 생김.	3~6일	주요 증상이 사라질 때까지
전염성 설사증	설사횟수가 많고 변이 물 같고 열이 나며 감기 증상을 동반함	2~4일	주요 증상이 사라질 때까지
간염 (A형)	식욕부진, 두통, 열, 황달, 관절통	10~15일	증상이 사라질 때까지 (대개 발진 후 5일간)
디프 테리아	미열, 인후통, 기침, 쉰 목소리, 두통, 편도선 비대, 회색반점	2~4일	배양검사가 2회 이상 음성으로 나올 때까지

　　영유아의 건강을 위협하는 대표적인 만성질환에는 알레르기와 천식이 있다. 이는 만성질환을 유발하는 큰 원인으로 기관지 천식, 알레르기성 결막염, 비염, 아토피성 피부, 두드러기, 식품 알레르기 등 여러 유형이 있다.

천식은 그 원인이 다양하나 모유 대신 분유를 먹이거나, 이유식을 너무 조기에 실시할 경우, 서양식 주거 환경으로의 변화가 주 요인임이 밝혀졌다. 천식의 발병은 기관지가 예민한 상태에서 일어나는데, 알레르기 반응이 일어나면서 기관지가 갑자기 오므라들어 기도가 좁아지는 것이며, 이는 산소의 공급을 차단해서 빠른 조치를 취하지 않을 경우 생명이 위독할 수 있다.

4) 예방접종

영유아교육기관은 전염병이 유행할 경우는 물론이거니와 평소에도 예방접종에 관한 안내문이나 정보를 게시하고 가정통신문에 알려야 한다.

5) 영유아의 건강지도 및 교육

손 씻기는 전염병을 예방할 수 있는 방법 중 가장 우선시되는 것으로 습관화되도록 해야 한다. 특히 알레르기나 천식과 같은 만성질환을 앓고 있는 유아는 식사나 음식을 먹기 전 손을 더 깨끗이 씻도록 지도한다. 교사 또한 음식을 준비하기 전이나 식사 전은 물론이고 영아에게 수유 또는 음식을 먹이기 전, 기저귀를 갈아 주기 전과 후, 유아의 코를 닦거나 화장실 사용을 도와준 후, 상처를 만지기 전 · 후에도 반드시 손을 청결하게 해야 한다.

치아 관리는 영아가 태어날 때부터 시작해야 한다. 영유아의 칫솔은 부드러운 모로 되어 있는 것으로 구입하고 햇볕이 잘 들며 통풍이 잘 되는 곳에 두거나 칫솔 살균기에 보관하되 유아의 손이 닿는 곳에 둔다. 부모와 교사는 유아에게 이 닦는 방법을 시범으로 보여 주며 식사 후와 자기 전에는 반드시 이를 닦도록 지도한다.

영아가 자신의 기저귀가 젖어 있는 것을 불편해하고 그것을 성인에게 표현할 수 있으며 괄약근의 조절이 가능할 정도로 신체적 발달이 이루어지고 심리적으로 안정되어 있을 때 배변학습을 실시해야 하는데, 영아가 수치심을 느끼지 않도록 배려해야 한다.

영유아에게 낮잠과 휴식은 일과를 보내는 과정에서 쌓인 피로를 해소하고 에너지를 재충전하며 심신을 이완시켜 주는 중요한 활동이다. 따라서 교사는 영유아에게 낮잠시간 전에 화장실에 미리 다녀오도록 하고, 실내조명, 온도, 소음 등을 차단해 안정적인 분위기를 유지한다.

2. 안전지도

다음은 만 5세 학급의 안전교육 연간 계획안의 예시이다.

월	생활주제	주	소주제	안전영역	안전주제	활동형태
3	나와 유치원/ 계절	2	유치원 에서의 안전 1	놀이/자동차/ 위험한 물건/ 미끄러짐이나 추락/놀이/ 자동차/ 위험한 물건	• 즐거운 놀이 영역 및 규칙 • 유치원 버스 안에서의 안전 • 교실에서의 안전 • 교실 밖에서의 안전 • 영희와 장난감 • 차례차례 • 모양 따라 걷기 • 블록 안전하게 쌓기 • 유치원 버스 타기 • 유치원은 안전해요	이야기 나누기 이야기 나누기 이야기 나누기 이야기 나누기 동화 음악활동 신체활동 쌓기놀이 언어 언어
		3	유치원 에서의 안전 2	미끄러짐이나 추락/놀이/ 화재/미끄러짐 이나 추락/놀이	• 방향 바꾸기 • 북소리에 맞춰 움직이기 • 안전한 실외 활동 • 소방대원 되어보기 • 어떤 일이 일어날까요? • 미끄럼타기 • 피노키오 코 줄이기	신체활동 신체활동 실외 활동 역할놀이 언어 언어 수 · 조작놀이
		4	나와 친구	놀이/미끄러짐 이나 추락/놀이	• 내 친구의 마음 • 둘이서 한마음 • 나는 어떤 아이일까요	이야기 나누기 게임 언어

월	생활주제	주	소주제	안전영역	안전주제	활동형태
		5	봄의 변화	미끄러짐이나 추락/환경오염/ 위험한 물건	• 봄의 날씨와 건강 • 여러 가지 씨앗 관찰하기 • 민들레 홀씨의 여행 • 꽃을 피워요	이야기 나누기 이야기 나누기 동화 조작
4	계절/ 건강한 몸과 마음	1	봄의 식물	환경오염/ 위험한 물건	• 여러 가지 봄꽃 • 봄동산 돌아보기 • 모종 심기	이야기 나누기 현장학습 실외 활동
		2	봄의 곤충 1	위험한 물건/ 미끄러짐이나 추락/위험한 물건	• 곤충의 특징 • 곤충채집 • 곤충바느질	이야기 나누기 실외 활동 수 · 조작놀이
		3	봄의 곤충 2	곤충, 동물	• 곤충의 입과 다리 • 벌	이야기 나누기 이야기 나누기
		4	나의 몸	낯선 사람/ 성적 학대	• 소중한 내 몸 • 내 몸 보호하기 • 만지지 마세요 • 싫다고 말해요	이야기 나누기 이야기 나누기 동화 언어
5	가족과 이웃	1	가족 구성 과 역할	낯선 사람	• 길을 잃었을 때의 안전한 행동	이야기 나누기
		2	우리 동네 의 기관들	위험한 물건/ 보행자	• 병원의 종류와 역할 • 표지판 찾기	이야기 나누기 수 · 조작놀이
		3	우리 고장 의 문화 (인천)	낯선 사람/ 자동차	• 우리 고장의 다양한 축제 • 향교 둘러보기	이야기 나누기 현장학습
		4	집	위험한 물건/ 낯선 사람/ 화재	• 안전한 우리집 • 혼자 있어도 무섭지 않아요 • 안전한 우리집	이야기 나누기 동화 언어

월	생활주제	주	소주제	안전영역	안전주제	활동형태
6	특별한 주제/ 도구와 기계/ 교통기관/ 지구와 환경	1	미술관	미끄러짐이나 추락	• 공공기관에서의 예절	이야기 나누기
		2	다양한 도구와 기계	위험한 물건	• 안전한 도구와 기계의 사용법 • 꿈동이의 가위 • 위험! 조심해요. • 위험한 일들	이야기 나누기 동화 언어 언어
		3	교통발달	자동차	• 미림이의 자동차 여행 • 자동차로 여행하기 • 원형 비행기 날리기	동화 게임 실외 활동
7	건강한 몸과 마음/ 계절	1	다양한 운동경기	위험한 물건/ 미끄러짐이나 추락	• 운동기구 바르게 사용하기 • 발 피구 • 줄넘기 대회(규칙을 지켜요.)	이야기 나누기 게임 체험활동
		2	신나는 물놀이	놀이	• 물놀이의 안전과 규칙 • 신나는 캠프 • 구조대원 되어보기 • 안전한 물놀이	이야기 나누기 이야기 나누기 역할놀이 언어
		3	여름철 위생과 여름방학	미끄러짐이나 추락/ 자동차	• 여름철 질병과 우리 생활 • 병을 예방해요 • 신나는 여름 방학 • 꼬질꼬질 도깨비와 비누 공장 • 병균의 여행 • 여행은 즐거워 • 그러면 안돼	이야기 나누기 이야기 나누기 이야기 나누기 동화 동화 동화 음악활동

월	생활주제	주	소주제	안전영역	안전주제	활동형태
8	건강한 몸과 마음	4	음식	환경오염/ 미끄러짐이나 추락	• 음식의 유통기한 • 식품의약안전청 견학	이야기 나누기 현장학습
9	건강한 몸과 마음/ 특별한 주제 우리 나라와 다른 나라	1	올림픽	운동/환경오염/ 화재/ 미끄러짐이나 추락	• 올림픽 운동경기의 종류 • 관중이 되어요 • 올림픽을 돕는 사람들 • 미니올림픽	이야기 나누기 신체활동 역할활동 체험활동
		2	물	환경오염/ 미끄러짐이나 추락/ 환경오염	• 마실 수 있는 물과 마실 수 없는 물 • 고마운 물 • 물의 힘 • 물의 요정	이야기 나누기 언어 과학 역할놀이
		3	우리나라	낯선 사람/ 놀이/ 위험한 물건	• 우리나라 전통예절 • 한복 바르게 입기	이야기 나누기 게임
10	우리 나라와 나든 나라/ 계절/ 도구와 기계/ 지구와 환경	1	다른 나라	환경오염/ 화재/ 놀이	• 추운 나라와 더운 나라 • 나무가 많은 나라 • 신에 깃빌을 꽂아요 • 세계의 다양한 놀이	이야기 나누기 이야기 나누기 게임 체험활동
		2	나뭇잎	환경오염/ 위험한 물건/ 미끄러짐이나 추락	• 가을에 볼 수 있는 것 • 손으로 알아요 • 여러 가지 모양의 나뭇잎	이야기 나누기 게임 실외활동
		3	즐거운 도구와 기계	미끄러짐이나 추락/ 위험한 물건	• 승강기와 에스컬레이터 안전하게 이용하기 • 도구사전 • 유치원에서 사용하는 도구 • 관찰하기	이야기 나누기 언어 과학
		4	지구	환경오염/ 화재	• 여러 가지 자연현상 • 에너지를 아껴요	이야기 나누기 수·조작놀이

월	생활주제	주	소주제	안전영역	안전주제	활동형태
12	동물/ 특별한 주제/ 계절/ 특별한 날들	1	책	미끄러짐이나 추락/놀이/ 자동차	• 책이 있는 곳 • 책이 만들어지기까지 • 도서관 견학	이야기 나누기 신체활동 현장학습
		2	겨울의 생활	미끄러짐이나 추락/ 위험한 물건/ 화재/놀이	• 겨울철 놀이 • 겨울철 위생 • 소화기 관찰하기 • 안전한 겨울나기	신체활동 언어 과학 수 · 조작놀이
		3	김장	환경오염	• 겨울에 먹는 음식 • 김장담그기	이야기 나누기 체험활동
		4	크리스 마스와 겨울 방학	낯선 사람/ 미끄러짐이나 추락	• 즐거운 크리스마스 • 산타 되어 돌아오기	이야기 나누기 게임 컴퓨터활동
1	특별한 주제	1	새로운 소식	위한한 물건/ 낯선 사람	• 우리 생활에 필요한 정보를 알 수 있는 방법 • 신문 배달하기 • 인터넷 여행	이야기 나누기 게임 컴퓨터활동
2	특별한 날들	1	초등학교에 가려면	위험한 물선/ 낯선 사람/ 보행	• 초등학교 교실에서의 안전 • 학교 가는 길	이야기 나누기 수 · 조작놀이
		2	설날	위험한 물건	• 다른 나라의 새해맞이 • 내가 좋아하는 민속놀이	이야기 나누기 신체활동
		3	유치원을 마치며	미끄러짐이나 추락/놀이	• 친구들과 인사나누기 • 알아맞혀 보세요.	이야기 나누기 게임

1) 안전지도의 개념 및 필요성

교사는 안전교육을 실시하여 영유아에게 안전사고가 일어나는 원인과 대처하는 방법을 알려 줌으로써 사고가 일어날 가능성을 줄이고, 안전에 대한 지식과 기술, 태도를 발달시킬 수 있도록 해야 한다.

영유아에게 발생하는 안전사고에는 찰과상, 타박상, 날카로운 물질에 찔리거나 베인 상처 등 경미한 경우부터 골절, 화상, 중독, 질식, 이물질 흡입으로 인한 기도 폐쇄, 익사, 교통사고 등과 같이 중상이나 사망에 이르는 심각한 경우도 있다. 이러한 사고는 우연히 발생하는 것이 아니라 반드시 원인이 있고 사고가 발생할 수 있다는 예측이 가능하므로 성인이 철저하게 감독한다면 대부분의 사고를 예방할 수 있다.

연령이 낮은 영유아일수록 몸의 중심이 높아서 균형을 잃어 넘어지기 쉽고 발달상 손에 있는 것은 어떤 것이든 입으로 가져가려 하며, 끊임없이 움직인다. 또한 주의력과 지각능력의 발달이 미숙하여 추상적인 말을 이해하지 못하고 환상과 실제를 구별하기 어렵고 성인들이 예상하지 못한 놀이나 장난감을 만들어 낸다. 특히 자기중심성이 강한 시기여서 결과를 예측하지 못하며 호기심이 강하고 자신의 관점과 남의 관점을 구별하지 못한다. 이러한 영유아의 발달적 특성은 안전사고를 일으킬 수 있으므로 교사나 부모는 항상 각별한 주의를 기울여야 한다.

2) 안전지도의 목표 및 내용

영유아를 대상으로 하는 안전지도는 사고를 예방하고 위급한 상황에서 자신과 다른 사람을 보호할 수 있는 지식과 기술, 안전에 대한 태도를 기르게 하는 것을 목표로 한다. 따라서 궁극적으로는 영유아가 자신과 타인의 안전과 생명을 존중하고 이를 실천할 수 있는 능력과 태도를 갖춘 민주시민으로 성장할 수 있게 하는 것이다(조경자 외, 1998).

안전지도는 우리의 생활 주변에서 일어날 수 있는 사고의 종류와 위험한 물체나 대상, 사고가 일어날 수 있는 장소나 행동뿐만 아니라 사고를 예방하는 규칙이나 구체적 방법을 알게 하는 것을 주 내용으로 하며 실제로 사고가 일어났을 때 대처할 수 있도록 한다.

이와 같이 영유아를 대상으로 안전지도를 할 때에는 일상생활과 밀접한 관계가 있는 내용을 선정해야 한다. 부모는 가정의 창문이나 베란다, 화장실, 계단, 침대나 가구, 방과 거실, 부엌 등 각 장소마다 위험요소를 알려 주고 물건 등을 안전하게 사용하는 방법을 가르친다. 교사는 보육시설 내에서 현관, 교실, 화장실, 교무실, 주방 등을 다닐 때 주의할 사항을 알려 주며, 실외놀이 환경에서는 고정 시설물의 안전, 놀이기구의 날카로운 모서리, 견고성과 내구성을 점검하며 부식을 방지하고 놀이기구의 간격이나 통로의 경계를 표시하고 나무 구조물의 안전성을 정기적으로 확인한다.

교통안전 지도 시에는 교통사고의 위험으로부터 영유아를 격리시키기보다는 영유아가 스스로 교통사고를 유발하는 위험요소를 찾아내도록 한 다음, 대처할 수 있는 행동을 길러 주는 것이 바람직하다. 또한 등, 하원 길이나 골목길과 주차장, 신호등이 있는 횡단보도, 횡단보도가 없는 도로에서의 보행 안전교육과 버스를 기다릴 때와 버스 안에 있을 때, 버스에서 내릴 때 등의 장소와 상황, 탈것에 대한 안전교육을 실시한다.

교사가 아동학대나 유괴에 대한 안전지도를 하기 위해서는 그 기준에 대해 명확히 알고 있어야 한다. 아동이 타박상이나 얼굴, 눈 주위, 신체 뒷부분에 멍이 들 때, 상처나 부상의 원인 및 과정에 대해 충분히 설명하지 못할 때, 가혹한 대우나 신체적 고통을 받았다고 호소할 때, 부모나 성인에 대해 비정상적일 만큼 공포감을 가질 때, 기관에 지각이나 결석을 자주 하거나 복장을 계절에 맞지 않게 입고 다닐 때 등은 아동학대의 기준이 된다.

또한 아동이 걷거나 앉는 것을 힘들어하거나 생식기 부분의 통증이나 가려움을 호소하고 상처가 있을 때, 갑자기 퇴행행동이나 극도의 공격적 행동을 보이며 성문제에 대해 비정상적인 관심이 있을 때, 나이에 맞지 않은 행동 특성을 나타낼 때, 자주 우울해하고 친구들과 잘 어울리지 않는다면 아동 성 학대를 의심해야 한다. 영유아가 이와 같은 행동을 보이면, 교사는 부모에게 즉시 알리거나 적극적으로 학대 가해자로부터 영유아를 격리시켜야 한다. 하지만 교사가 평소에 아동에게 자기 자신을 보호할 수 있도록 유괴에 대처하는 방법을 학습시키는 것이 더욱 중요하며, 우선시되어야 한다.

교사는 아동의 성폭력을 예방하기 위해 아동에게 자신의 몸은 물론 다른 사람의 몸도 소중하다는 것을 강조해야 한다. 따라서 기분 좋은 접촉과 기분 나쁜 접촉을 분명히 구별할 수 있게 하며 기분 나쁜 접촉을 시도하는 사람에게 "싫어요"라고 당당하게 말하고 주위 어른에게 도움을 청하도록 한다. 뿐만 아니라 유아가 성에 대한 질문을 하거나 호기심을 보일 때에는 올바르게 대답해 주고 VTR이나 동화를 활용해 효과적인 교육을 할 수 있다.

유괴 및 미아사고를 예방하기 위해서는 유아에게 절대로 낯선 사람의 차에 타지 않도록 하고 밖에서 놀 때에는 귀가시간을 지키도록 주의를 준다. 또한 혼자 집에 있을 때에는 반드시 문을 잠그고 방문자에게 함부로 문을 열어 주지 않으며 외출 시에는 어른에게 행선지를 알리고 인적이 드문 길보다 큰 길로 다니게 한다. 또한 비상시를 대비해 유아의 집 주소나 전화번호 등을 분명히 기억하게 하며 도움을 청하는 방법을 가르친다.

교육기관에서는 영유아의 올바른 신체발달을 위해 아래와 같은 연간 건강 계획안을 구성해야 한다.

월	제목	내용	비고	위생
3	1차 체격검사	• 체중, 신장의 체격검사	가정통신문 발송	방역
4	아동 건강검진	• 발육 및 신체검사, 소변검사(단백질), 구강검사(충치, 불소도포)	가정통신문 발송 – 북구 보건소 검진반 협조	방역
5	수족구에 대한 정보/어린이 영양 진단	• 수족구의 원인, 증상, 치료에 대해 알아보기 • 영유아의 영양 판정검사	가정통신문 발송 – 울산 대학교 식품영양학과 협조	방역
6	2차 체격검사	• 체중, 신장의 체격검사	가정통신문 발송	방역
7	일본뇌염 예방교육	• 일본뇌염에 대한 안내	가정통신문 발송	방역/ 물탱크 청소
8	요즘 아이들이 자주 아픈 이유	• 동의보감을 근거로 자주 아픈 원인에 대한 교육	가정통신문 발송	방역
9	3차 체격검사/ 콜레라 예방교육	• 체중, 신장의 체격검사 및 콜레라 예방 및 증상	가정통신문 발송	방역
10	응급처치 교육	• 가정에서의 응급처치에 대한 안내	가정통신문 발송	방역
11	독감 예방교육	• 독감의 예방과 예방접종, 치료에 대한 안내	가정통신문 발송	방역
12	4차 체격검사	• 체중, 신장의 체격검사	가정통신문 발송	방역
1	아토피성 피부질환	• 아토피성 피부질환의 증상과 예방법, 예후에 대한 교육	가정통신문 발송	방역
2	시력검사	• 취학 전 아동 시력검사 실시	가정통신문 발송 – 명안과 의뢰	방역

출처: 울산 삼성어린이집(2001), 2001학년도 연간보고서.

또한 아래와 같이 안전교육 프로그램의 주제와 지도내용을 계획하는 것은 영유아에게 발생할 수 있는 안전사고를 체계적으로 예방하는 데 도움을 줄 수 있다.

주제	하위주제	지도내용
보육시설 안전	실내안전	• 어린이집 실내에서의 안전규칙 • 교실, 복도, 계단, 각종 문구 사용 시의 위험상황 인식과 대처
교통안전	실외 안전	• 놀이터에서의 안전한 놀이기구 사용법 • 놀이터에서의 안전한 행동과 위험한 행동 인식 • 어린이집 실외에서의 위험 자각
	보행안전	• 어린이집까지의 안전한 통학로 알기 • 비나 눈이 오는 날의 안전한 보행법 • 보행 시 위험상황 예측하기 • 야간 보행 시 안전한 행동 • 신호등이 없는 횡단보도의 안전한 횡단법 • 안전한 도로 횡단 수칙 알기 • 보호자와 함께 보행하는 것의 중요성 인식
	교통기관 이용 안전	• 통학버스를 안전하게 이용하는 방법 알기 • 지하철에서의 안전한 이용법 • 승용차 안에서의 안전한 행동
	바퀴 달린 탈것의 안전	• 겨울철 놀이에 따른 안전 장비, 복장 알기 • 자전거의 안전한 이용법 • 안전한 놀이장소 알기 • 자전거의 구조 알기 • 내 몸에 맞는 자전거 장비 구분하기
	교통 일반	• 교통안전을 위해 수고하시는 분들에 대한 고마움 • 교통 표지판의 중요성과 의미 인식
생활안전	집에 혼자 있을 때의 안전	• 집에 혼자 있을 때의 안전수칙 • 집에 혼자 있을 때의 위험상황 인식과 대처법
	집 밖에서의 안전	• 집 밖에서 놀이할 때의 안전 • 집 밖에서 놀이하기에 안전한 장소 알기
	물놀이 안전	• 물놀이 할 때 주의사항 • 물놀이 시의 위험상황 인식과 대처 • 안전한 물놀이 장소 인식 • 구조원의 역할 알기

주제	하위주제	지도내용
생활안전	성폭력 안전	• 좋은 느낌과 싫은 느낌 구별하기 • 성폭력 위험상황의 인지와 대처법 • 내 주변의 믿을 수 있는 어른 알기
	낯선 사람에 대한 안전	• 낯선 사람에 대한 개념 알기 • 위험상황 대처법
	약물 안전	• 몸에 해로운 약물 구별하기 • 위험상황 대처법 및 구조 요청법
	동물 안전	• 애완동물을 안전하게 기르는 방법 • 동물의 위험 신호와 대처 • 곤충에 대한 안전 • 동물원 견학 시 지켜야 할 약속
	전기 안전	• 전기 안전수칙 • 안전한 전기 사용법
	환경오염 안전	• 환경오염의 위험성 인식 • 환경오염을 막는 방법 알기
	화재 안전	• 불이 날 수 있는 상황 인식 • 화재 시 연기 아래로 대피하는 방법 • 안전하게 대피하는 방법 • 옷에 불이 붙었을 때의 대처법
	승강기와 에스컬레이터 안전	• 승강기와 에스컬레이터의 안전한 사용법 • 승강기와 에스컬레이터에서 안전 표시의 의미 • 승강기의 원리 알기
	집 안에서의 안전	• 집 안에서 안전하게 지내는 법 • 집 안에서 사고가 날 수 있는 위험한 장소 알기
	길 잃었을 때의 안전	• 길 잃었을 때의 안전한 행동 • 도움을 줄 수 있는 사람 알기
	공공장소에서의 안전	• 공공장소에서 지켜야 할 약속 • 공공장소의 개념 알기
	행사시의 안전	• 행사 때 지켜야 할 규칙들, 명절 때 지켜야 할 약속

출처: 한국산업안전공단(2003), 생황주제와 함께하는 안전교육.

3. 영양지도

1) 발달에 따른 영양관리

영아기는 생후 1년까지 해당되며 신장과 체중, 골격의 크기와 수가 증가하고, 신생아기에는 부드럽던 뼈의 조직이 경화되는 등 일생 중 신체발달이 가장 왕성하게 일어나는 시기라고 할 수 있다.

신생아를 비롯한 어린 영아들은 찾기 반사, 빨기 반사, 삼키기 반사, 밀어내기 반사와 같은 기본 반사를 사용하여 음식을 섭취한다. 또한 이 시기의 영아들은 섭식습관이 급격히 변하는데, 한 가지 유형의 음식만 섭취하여 성인에게 의존해야만 했던 초기와 달리 생후 1년경이 되면 대부분 성인의 식단과 유사해진다.

한편, 모유는 영아의 성장에 필요한 대부분의 영양소를 함유하고 있는 가장 이상적인 공급원으로 그 어떤 음식보다 영아의 발달에 적합하다. 뿐만 아니라 공급원이 모체이므로 항상 신선하여 세균에 감염될 위험이 적을 뿐만 아니라 면역 성분을 함유하고 있어 감염성 질병에 대한 예방효과가 뛰어나다. 또한 소화가 잘되고 턱과 이의 발달을 도우며 다른 이유식에 비해 알레르기원이 가장 적고, 필요 이상으로 공급할 염려가 적어 영아 비만을 방지해 준다. 경제적 면에서도 다른 음식보다 저렴하며 이용이 편리한데 무엇보다 엄마와 영아 간의 애정과 신뢰가 있는 관계를 형성할 수 있다는 점에서 가치가 뛰어나다.

이렇게 많은 장점을 지닌 모유 수유가 영아에게는 가장 좋지만, 상황이 여의치 않을 경우 모유의 성분과 가장 유사한 유아용 조제분유를 먹이는 것이 좋다. 인체에 무해하고 영양소가 많은 조제유를 마련할 때에는 철저한 위생관리와 용량 및 용법을 정확히 지키며, 적절한 온도 등 여러 가지를 고려해야 한다. 하지만 최근 연구결과, 분유를 먹는 유아가 모유를 먹는 유아보다 질병에 걸릴 위험이 더 높다는 것이 밝혀졌다. 따라서 혼합영양을 줄 때에는 조제유에 부족한 영양분을 보충해 주기 위한 방법으로 모유와 분유를 혼합하되 모유를 먼저 주고 부족한 부분에 분유를 추가한다. 이때에는 영아가 한 가지 입맛에 길들여지지 않도록 적절히 조절해야 한다.

이처럼 모유나 조제유를 먹던 영아는 생후 4~6개월 정도가 되면서부터 성인의 식단이나 식습관과 유사한 이유식으로 식생활이 변화하게 된다. 세계보건기구에서는 영아의 몸무게가 출생 시보다 2배가 될 때 이유식을 시작하도록 권유하고 있는데, 야채나 미음 등의 유동식에서 반유동식으로 조절하는 것이 좋다.

또한 이 시기는 일생 동안의 영양과 건강에 영향을 미치므로 식단만큼 식습관도 중요하며 무엇보다 부모의 역할이 크다. 따라서 보건복지부에서는 2002년에 이유 시 부모의 역할에 대한 내용을 발표했다. 먼저 영아에게 새로운 향과 맛에 익숙하게 한 다음, 식품 본래의 향과 맛을 느낄 수 있도록 한 종류씩 먹인다. 다양한 음식을 제공하여 여러 가지 맛을 느끼도록 하며, 스스로 먹도록 하되 어려워하는 부분은 도움을 준다.

연령이 어린 영아에게는 가능한 한 깨지지 않는 식기에 음식을 담아 주는 것이 좋은데, 식기를 깨뜨리는 등의 실수로 좌절감을 갖지 않게 하기 위해서다. 이처럼 영아에게는 이유식을 하는 것도 발달과정 중의 새로운 경험이므로 부모는 영아의 노력을 이해해야 한다.

유아기는 영아기에 비해 신체의 성장속도가 다소 둔화되지만 여전히 심신의 발달이 왕성한 시기이며 식품에 대한 기호가 생기게 된다. 따라서 편식이나 과식, 식욕 부진, 특정 음식을 거부하는 식습관 문제 행동이 나타나는 시기이므로 교사와 부모는 유아가 균형 잡힌 영양 섭취와 올바른 식습관 태도를 형성할 수 있도록 관심을 갖고 지도해야 한다.

유아기의 영양은 영양보급의 문제뿐만 아니라 정상적 발달을 이루기 위해 중요한 부분으로 기본적인 식습관을 확립하는 시기임을 염두에 두어야 한다. 또한 이 시기는 유즙 영양으로부터 성인 영양으로 옮겨가는 과정인 동시에 성장·발육하는 단계로 앞으로의 성장기에 큰 영향을 미치게 된다. 뿐만 아니라 자기 의사를 표시할 수 있게 된 유아는 음식에 대한 기호가 생기므로 이것을 고려하여 지도해야 한다.

유아는 상태에 따라 식욕이 없어지거나 편식을 하기도 하는데, 정서적으로 불안정한 시기라는 요인이 작용한 결과일 수도 있기 때문에 개인차를 고려해야 한다. 특히 3~4세경의 유아는 식사관리에 특별히 주의해야 하는데, 이 시기에는 단 음식을 간식으로 자주 먹게 되므로 우유 및 유제품 섭식 후 구강위생 관리를 잘못하면 충치가 쉽게 생길 수 있다.

영아기에는 충치, 귀의 염증, 질식, 우식증 등의 젖병 증후군과 발열, 침, 설사 등의 증세를 보이는 이나기, 영아 비만 등의 영양문제가 발생할 수 있다. 따라서 교사나 부모는 적절한 영양섭취를 유도하고 영아 비만을 예방하기 위해서는 포만의 신호를 알아채야 한다.

유아기에는 식욕 부진이나 편식과 같은 영양문제가 발생할 수 있다. 식욕 부진 시 식사시간을 즐거운 분위기로 전환하고 편식은 원인과 문제점을 분석해야 한다. 편식의 원인으로는 미숙한 이유식, 식단의 결함, 음식을 강제로 먹은 경험, 부모 또는 가족의 편식, 좋지 않은 식사환경, 과잉보호, 당분의 과잉섭취, 생리 및 심리적 원인(생소한 음식, 불쾌한 경험, 동물에 대한 동정) 등이 있다.

알레르기가 발생하지 않기 위해서는 교사와 부모의 세심한 주의와 관찰이 필요하며 유아 비만은 운동기능을 저하시키고, 열등의식을 갖게 하며 더욱 비만이 되는 악순환을 가져와 성인 비만으로 발전될 가능성이 높으므로 더욱 주의해야 한다.

비만 아동은 배고픔에 관계없이 잘 먹지만 신체가 필요로 하는 영양소에 관한 이해가 부족하여 대개 달거나 육류와 같은 기름진 음식을 좋아하고 채소는 싫어한다. 또한 음식을 먹는 데 있어 자신의 기분이나 상황에 대한 변명이 많고 먹는 것에 대해 죄책감을 가지기도 한다. 가족 및 다른 사람과 함께 음식 먹는 것을 기피하며 식사를 통한 사회성이 부족하다. 뿐만 아니라 아침은 먹지 않고 오후에 많이 먹는데, 한꺼번에 음식을 매우 빨리, 많이 먹고 TV나 비디오를 보면서 무의식적으로 사탕이나 과자 등을 먹는 특징이 있다.

2) 영유아의 식습관 지도

영유아의 건강한 성장과 발달을 위해서는 영양적으로 균형 잡힌 식단을 제공함은 물론, 올바른 식생활에 대한 이해와 식사습관 및 태도를 길러야 한다.

충북대학교 식품영양과 응용영양 연구실에서는 영유아 자녀를 둔 부모가 자녀의 식습관을 지도하는 바람직한 방법을 제안했다. 부모는 자녀에게 다양한 음식을 제공하되 먹는 것에 대한 결정이나 양은 유아가 직접 결정하도록 하며 새로운 음식은 한 번에 한 가지씩, 적은 양으로 제공한다. 특히 포도, 콩, 사탕 등의 음식을 먹일 때에는 목에 걸리지 않도록 곁에서 지켜보며 배가 고플 때에만 음식을 먹도록 한다.

자녀가 편식을 할 경우에는 우선 기호에 대한 태도를 존중해 주고 조리법을 달리하거나 음식의 모양과 담는 방법을 바꾸고 작은 식탁에서 먹이는 등 분위기를 전환해 본다. 또한 자녀와 함께 식사 준비를 하는 것도 좋은 방법이 될 수 있는데, 자신이 스스로 만든 음식은 적극적으로 먹을 수 있기 때문이다. 그 밖에도 올바르게 젓가락을 사용하는 방법이나 음식을 남기지 않고 뒷정리하는 습관 등의 식사예절을 가르치며 충치를 예방하기 위해 식사 후에는 반드시 양치질을 하도록 하고 간식을 먹은 뒤에는 물로 입을 헹구도록 한다. 무엇보다도 이러한 식습관을 지도할 때에는 부모가 좋은 모델이 되어야 한다.

한편 영유아교육기관에서 식습관 교육을 행할 때에는 영유아기부터 가능한 한 빨리 시작하며, 영유아의 신체적·지적 발달과정에 적합한 내용으로 구성하고 궁극적으로는 영유아가 스스로 식습관을 형성하도록 해야 한다. 이와 더불어 식습관을 지도하는 교사는 일관성 있는 태도를 갖추어야 하는데, 칭찬할 때와 그렇지 않을 때를 명확히 하고 예외를 인정하지 않아야 한다. 또한 일과 속에서 올바른 식습관이 형성될 때까지 반복하여 구체적인 본보기를 보여 준다. 뿐만 아니라 간식, 축하파티, 야외활동 등 집단생활을 통해서도 사회생활과 인간관계를 형성하게 할 수 있으며, 무엇보다도 기본적으로 아동에 대한 사랑과 끈기를 지녀야 한다(박성옥 외, 2003).

식습관을 지도할 때에는 먼저 음식을 만드신 분들께 감사의 마음을 갖도록 하고, 식사를 하기 전에 반드시 손을 씻게 한 뒤 음식이 나올 때까지 자리에서 기다리게 한다. 식사는 의자에 앉아서 조용히 먹고 편식하지 않으며 음식을 골고루 먹도록 한다. 또한 음식은 소중한 것이므로 흘리지 않게 하고 입안에 음식물을 넣은 채 이야기하지 않도록 한다. 음식은 조금씩 먹고, 천천히 씹으며 다른 사람이 식사를 마칠 때까지 기다리는 자세를 갖도록 지도한다. 식사 후에는 반드시 식기와 수저 등을 정돈하고 양치질을 하도록 한다.

교사는 식사 및 간식시간을 운영할 때 분위기를 편안하고 즐겁게 만들고 음식을 먹을 장소와 음식과 닿는 면을 깨끗하게 정돈한다. 매력적인 식탁은 유아가 먹는 것에 대한 즐거움을 갖게 하며 음식을 먹는 데 필요한 도구나 식기류도 유아가 스스로 먹는 데 적합한 것이어야 한다. 유아는 신체발달 정도가 모두 달라서 식사량도 차이가 나므로 처음에는 약간 적은 양을 제공하고 아동이 원할 때 더 주어 성취감을 갖도록 한다. 또한 특정 음식을 거부할 수 있으므로 개인차를 인정하고 먹기를 강요하지 말아야 한다(조경자, 이현숙, 1998).

대한영양사회 학교분과위원회에서는 1995년에 영유아를 위한 간식 및 식사 지침을 발표했으며, 그 내용은 아래와 같다.

간식지침	식사지침
• 정해진 시간에 먹는다. • 손을 씻고 먹는다. • 되도록 우유도 같이 마신다. • 너무 많이 먹지 않도록 한다. • 자주 먹지 않는다. • 농축된 당질 식품은 피한다. • 불량식품을 먹지 않는다. • 먹은 다음에는 반드시 잇솔질이나 양치를 한다.	• 다양한 음식을 골고루 먹자. • 표준 체중을 유지하자. • 매끼 식사를 하자. • 간식은 적당한 양을 먹자. • 우유를 매일 마시자. • 채소와 과일을 많이 먹자. • 짜거나 맵게 먹지 말자. • 당이나 지방이 많이 든 음식을 피하자. • 바르게 앉아 꼭꼭 씹어 먹자. • 식사를 즐겁게 하자.

제 2 부

체제적 교수설계

학습자 분석

학습목표　　－ 요구분석을 하기 위해 상황에 적합한 모형을 적용할 수 있다.
　　　　　　　－ 교수 프로그램을 개발하고자 할 때, 학습환경에 대해 고려해야 할 사항을 제시할 수
　　　　　　　　있다.
　　　　　　　－ 학습자 특성의 영향을 받는 교수전략 변인을 설명할 수 있다.
　　　　　　　－ 제공된 대상학습자에 대한 정보를 토대로 교수 프로그램 설계에 어떤 시사점을 제공하
　　　　　　　　는지에 대해 토론할 수 있다.

1. 학습환경 분석

학습환경을 분석하는 것은 실제로 학습이 수행될 환경을 분석한다는 점에서 중
요하다. 아무리 좋은 교육 프로그램이 설계 및 개발된다 하더라도 실제 현장에
서 이를 필요로 하지 않거나, 그 프로그램이 수행될 수 있는 학습환경이 마련되
어 있지 않으면 실제적 활용이 이루어지지 않아 그 효과를 기대할 수 없기 때문
이다.

　또한 학습환경을 분석하기 위해서는 테스머(Tessmer, 1990), 테스머와 해리
스(Tessmer & Harris, 1992)가 주장한 바와 같이, 교수 프로그램에는 다양한 요
인들이 서로 관련되어 있으며, 어느 한 가지 요인의 변화가 다른 요인에 영향을
미칠 수 있다는 것과 요인과 요인이 서로 연결되어 하나의 커다란 시스템을 이

루고 있다는 사실을 인식하는 것이 중요하다.

1) 요구분석

교수설계 초기 단계에 실시되는 분석 중 가장 먼저 학습환경을 분석하기 위한 요구분석을 실시한다. 이를 위해 교수설계자는 대상자들에게 요구분석을 실시하게 된다. 요구분석은 학습과 관련된 다양한 요구사항을 구체화하기 위한 활동으로 특히 교수가 특정 상황에서 수업을 해야 하거나, 특정한 학습자를 대상으로 할 경우 의미 있는 결과를 기대할 수 있다. 즉 요구분석은 다양한 상황에서 특정한 학습자를 위해 교수개발을 할 필요성이 실제로 존재하는지를 결정하기 위해 실시된다.

2) 요구분석 실시시기

요구분석을 실시하는 시기는 크게 세 가지 정도로 나눌 수 있다. 우선 문제점이 확연하게 드러나지는 않았지만, 조직이 학습 및 훈련 프로그램을 평가하는 것을 원하거나 요청할 때 요구분석을 실시하게 된다.

또한 고객이 학습에 만족하지 못하거나 예상치 못한 많은 수의 학습자가 과정을 정상적으로 마치지 못하고 학습을 포기할 때, 부모들이 실시된 학습에 대해 불만을 표현할 때, 제품의 결함이 발견되었을 때, 학습 후 오히려 시험점수가 하락하는 등의 문제점이 발생했을 때 요구분석을 실시한다.

마지막으로는 학습자가 새롭게 학습해야 하는 것이 있을 때로, 예를 들어 직무수행을 위해 보수교육을 필요로 하는 새로운 직원들이 생겼을 때, 정부의 지침으로 학습자가 컴퓨터를 활용한 통신학습에 익숙해져야 할 때 등의 상황에서 요구분석을 실시할 수 있다.

3) 요구분석 모형

요구분석 모형에는 불일치 모형과 문제발견 및 문제해결 모형, 혁신 모형이 있다. 각각에 대해 자세히 알아보면 다음과 같다.

불일치 모형

불일치 모형은 총괄평가 모형으로 교수설계자들이 요구분석 단계에서 이 모형을 사용하기 위해서는 몇 가지 가정이 전제되어야 한다. 그것은 현 상황에서 이미 학습목표가 규명되었고, 규명된 목표와 관련된 교수 프로그램이 이미 제공되고 있다는 것이다. 이러한 가정을 전제로 한 후, 다음 5단계의 과정에 걸쳐 요구분석을 실시하게 된다.

- 1단계: 현재 수업 시스템의 학습목표를 기술한다.
- 2단계: 기술된 학습목표의 성취정도를 평가한다.
- 3단계: 수업 시스템의 현재 상태와 바람직한 상태의 차이를 기술하다.
- 4단계: 각 활동에 대한 우선순위를 결정한다.
- 5단계: 일련의 과정을 통해 규명된 요구 중 어떠한 요구들이 교수적 측면에 대한 요구 인지, 어떤 교수설계나 개발이 이를 해결할 수 있는지에 대해 판단한다.

문제발견 및 문제해결 모형

문제발견 및 문제해결 모형은 학습에서 발생한 문제와 학습자 간의 관계를 규명하고 이를 해결하기 위해 활용되는 요구분석 모형이다. 이를 위해서는 문제가 학습과 관련된 문제이며 교수 프로그램을 통해 해결될 수 있는 문제인지를 규명하는 문제규명이 우선되어야 한다. 따라서 이 모형을 활용한 요구분석은 다음과 같은 단계로 이루어진다.

- 실제로 이러한 문제가 존재하는지를 확인한다.
- 문제의 원인이 학습자의 성취와 관련이 있는지를 확인한다.
- 성취 및 수행과 관련된 문제를 해결하기 위한 방법이 학습인지 여부를 결정한다.
- 동일한 내용을 주제로 하는 기존 프로그램이 존재하는지 확인한다.

혁신 모형

혁신 모형은 조직의 변화나 혁신을 돌아보고, 더 효율적으로 조직 내에 변화나 혁신을 수용하고 전파하기 위해 교육과정에 새로운 학습목표를 추가해야 하는지 여부를 결정하기 위한 요구분석 모형이다.

혁신 모형에 근거한 요구분석을 실시하게 되면, 학습에서 설정된 조직의 목표를 수정하거나, 새로운 목표를 설정할 수 있기 때문에 이 과정에는 교육운영자 및 강사, 관리자 및 행정가, 학부모, 학습자 등의 학습과 관련된 이해당사자들이 참여하게 된다.

- 1단계: 혁신이나 변화의 본질을 돌아보고, 성격을 확인한다.
- 2단계: 혁신과 관련된 학습목표를 규명하고, 이것이 이러한 혁신을 수반할 수 있는지를 확인한다.
- 3단계: 새로 설정된 학습목표가 중요하며 실제로 실행이 가능하다고 판단되면 주변의 조건과 교수자, 교육과정, 수업에 활용할 수 있는 교수매체 및 조직 등의 전반적인 학습환경을 분석한다.

4) 학습환경 기술

교수설계자는 수업설계를 위해 요구분석을 실시하여 학습과 관련된 다양한 요구를 구체화하고 실제 학습이 이루어질 학습환경에 대해 기술해야 한다.

　　교수 프로그램을 개발할 때 학습환경에 대해 고려해야 할 사항은 다음과 같다.

- 교수 프로그램을 사용할 교육운영자의 특성은 무엇인가?
- 교수 프로그램이 적합한 교육과정이 있는가? 있다면 이 프로그램에 사용된 절차나 전략 혹은 이론은 무엇인가?
- 실제 학습환경에서 사용할 수 있는 일반적인 하드웨어에는 어떤 것이 있는가?
- 새로운 교수 프로그램이 사용될 교실이나 시설의 특징은 어떠한가?
- 새로운 교수 프로그램을 운영할 기관이나 조직의 특성은 무엇인가?
- 조직이나 학교 시스템이 속해 있는 사회의 철학이나 금기사항은 무엇인가?

2. 학습자 분석

세상을 살아가는 인간 개개인이 서로 다른 특성을 가지고 있는 것처럼, 학습에 참여하는 학습자 역시 서로 다른 특성을 지니고 있다. 이들 다양한 학습자에 대한 분석 없이 수업을 설계하는 것은 결국 누구도 만족하지 못하고 필요로 하지 않는 결과물을 낳을 수 있다. 따라서 교수설계자들이 새로운 교수 프로그램을 설계할 때에는 이를 실제로 학습하게 될 학습자를 분석하는 것이 중요하다고 할 수 있다.

1) 인간 특성의 유사점과 차이점

학습자를 분석하기 위해 사람의 특성을 나타내는 유사점과 차이점에는 어떤 것이 있는지 알아볼 필요가 있다.

유사점

다양한 사람에게서 찾을 수 있는 유사점은 사람 간의 상대적인 동일성이다. 예를 들어, 지각능력, 정보처리 용량 및 한계, 인지, 지적·신체적·심리적·언어적 발달과정을 포함한 발달과정 등이 유사점에 포함된다고 할 수 있다.

차이점

다양한 사람에게서 찾을 수 있는 차이점으로는 개인차를 변량 측면에서 파악할 수 있는 특징적인 외모, 직분, 경험 등을 들 수 있다. 각 사람의 지능과 적성, 인지양식과 발달단계, 현재 가지고 있는 선수지식 등이 이러한 개인차를 결정짓는 요소라고 할 수 있다.

2) 학습자 특성의 네 가지 범주

학습자가 가지고 있는 유사점과 차이점이 시간의 경과에 따라 변하는지 변하지 않는지를 기준으로 네 가지로 범주화하면 다음과 같다.

	유사점	차이점
안정적 (시간경과에 따라 변하지 않음)	• 지각능력 • 정보처리 • 학습유형과 조건	• 지능 • 인지양식 • 사회 심리적 특성 • 성, 민족성, 인종
가변적 (시간경과에 따라 변함)	• 발달과정 − 지적 − 언어 − 사회 심리적 능력 − 도덕 − 기타	• 발달상태 − 지적 − 기타 − 선수학습 − 일반적 − 세부적

이러한 네 가지 학습자의 특성유형이 모든 교수설계자들에게 똑같이 중요하다고 할 수는 없다. 또한 모든 교수 프로그램 설계 프로젝트에서 유용하게 활용되는 것도 아니다.

그러나 학습자의 발달상태, 특히 선수학습의 정도와 같이 가변적 차이점은 교수설계자가 학습내용을 조직하는 데 있어 중요한 기준을 제공할 수 있다. 또한 시간이 경과해도 변하지 않는 안정적 차이점의 경우 교수설계시 개인이나 집단에게 유용한 전략을 수립하는 데 필요한 정보를 제공할 수 있다는 점에서 중요한 의미를 가진다. 특히 유사점은 설계에 있어서 효과적인 지침으로 활용될 수 있는 일반적이고 포괄적인 관점을 제공할 수 있다는 점에서 중요하다고 할 수 있다.

3) 특정 선수지식

교수설계자가 고려해야 할 학습자 특성 중 가장 중요한 요소로는 해당 과제와 관련하여 학습자가 가지고 있는 선수지식이다. 학습자가 이미 가지고 있는 수업 관련 지식이나 기술에 대해 교수설계자가 많이 알고 있을수록 더 효과적이고 효율적인 교수설계를 할 수 있다. 따라서 교수설계자들은 대상학습자에게 다음과 같은 질문을 하여 학습자의 선수지식 정도에 대한 정보를 확보할 수 있어야 한다.

- 대상학습자는 과제를 학습하는 데 관련 배경지식, 기술을 가지고 있는가?
- 대상학습자가 가지고 있는 배경지식이 각기 다양한가?
- 대상학습자가 이미 학습내용에 대한 지식이나 기술을 가지고 있는가?

대부분의 경우 설계자들은 교사나 대상 학습자 집단을 대상으로 한 표집 검사를 통해서 이에 대한 정보를 획득할 수 있고, 학습자가 과거에 이수했던 수업

정보를 바탕으로 그들의 선수지식 정도를 가정할 수도 있다. 그러나 후자의 경우, 단순히 어떤 과정을 이수했다고 해서 학습자에게 학습이 일어났다고 단정지을 수 없으며, 학습자가 과정에서 배운 지식이나 기술을 기억하지 못할 수도 있기 때문에 이를 기반으로 가정할 경우에는 주의를 기울여야 한다.

4) 학습자 특성의 종류

학습자 특성은 일반적 특성과 신체적 특성, 정의적 특성, 사회적 특성으로 나누어 볼 수 있다.

일반적 특성

학습자가 보편적으로 가지고 있는 적성, 과제 적성, 피아제의 인지발달 수준에 근거한 발달수준, 언어수준, 읽기수준, 시각정보를 이해하는 능력과 인지양식, 인지전략과 학습전략, 일반적 지식을 포함하는 시각적 리터러시 수준, 학습자가 가지고 있는 특정 선수지식도 일반적 특성에 포함된다.

신체적 특성

학습자가 갖는 특성 중 감각지각, 건강상태, 연령 등을 신체적 특성이라 한다.

정의적 특성

학습자의 흥미와 동기, 학습동기와 교과에 대한 태도, 특정 매체에 대한 인식과 이와 관련된 경험, 학업 측면에서의 자아개념, 불안수준, 신념, 성공에 대한 귀인 등은 정의적 특성으로 구분된다.

사회적 특성

학습자가 형성하는 동료와의 관계, 학습자가 갖는 권위에 대한 느낌, 협력이나 경쟁에 대한 경향성, 콜버그(Kohlberg)의 도덕성 발달단계에 근거한 도덕발달, 사회적 배경과 경제적 배경, 인종적 또는 민족적 배경, 역할 모델 등을 사회적 특성이라 할 수 있다.

그러나 교수설계시 교수설계자가 모든 학습자를 대상으로 이러한 특성에 대해 분석해야 하는 것은 아니다. 예를 들어, 노인 학습자의 경우 신체적 특성은 분석되어야 할 중요한 특성이지만, 청소년 학습자의 경우에는 그 중요성이 덜하다.

또한 학습자 분석을 실시할 당시에는 중요하게 여겨지지 않았던 정보가 이후에 이루어지는 설계과정에서는 중요한 정보가 될 수 있기 때문에 교수설계자는 가능한 한 많은 정보를 수집 및 확보하여 필요할 때 이를 활용할 수 있어야 한다.

5) 학습자 특성의 평가

학습자 특성을 평가할 때, 교수설계자는 특정 학습자에 대한 고정관념을 갖지 않기 위해 구성원들이 가지고 있는 유사점을 비롯하여 다양성에 대해 기술할 수 있는 정보를 수집하여 사용해야 한다.

교수설계자들은 다음과 같은 다양한 방법을 통해 정보를 수집할 수 있다.

- 대상학습자를 가르치는 교사나 훈련가와 면담을 실시한다.
- 대상학습자를 관찰하고 이들을 대상으로 면담을 실시한다.
- 학습자의 배경지식과 흥미에 대한 다양한 정보를 얻기 위해 학습자를 분석한다.
- 평가도구를 활용하여 학습자가 자주 활용하는 인지전략, 그들의 인지처리 유형, 선호하는 교수매체에 대한 정보를 수집한다.
- 조직에서 맡고 있는 직무내용에 대한 설명서와 개인 신상에 대한 정보가

적혀 있는 카드를 조사한다.

- 학습자의 흥미와 신체적 특성 및 사회적 발달에 대한 정보를 얻을 수 있는 특정 대상 집단이나 발달단계에 대한 자료를 통해 정보를 수집한다.
- 특정한 사회나 경제, 민족, 인종적 배경을 가진 학습자를 대상으로 이들의 흥미와 동기에 대해 소개하는 자료를 근거로 정보를 수집한다.

6) 학습자 특성과 교수설계에서의 시사점

앞서 살펴본 바와 같이 학습자 분석을 통해 대상학습자의 특성에 대한 풍부한 자료를 얻게 되면, 이를 근거로 자칫 평범할 수 있는 교수 프로그램을 보다 창의적으로, 보다 기억에 남게 설계할 수 있다.

그러나 이에 사용할 정보와 교수전략을 결정할 때에는 학습자 특성에 따라 달라질 수 있는, 즉 학습자 특성과 직결되는 교수전략 요소들을 중심으로 고려해야 한다. 학습자 특성과 직결되는 교수전략 요소로는 학습내용의 제시속도와 학습자가 연습해야 할 활동의 수, 수업내용과 관련성을 인지시키기 위한 설명 그리고 주의집중 전략이 있다. 또한 사례와 연습의 맥락, 사용빈도, 교수매체, 구조와 조직의 양 등도 있다. 여기에 구체성 및 추상성의 수준과 학습집단의 크기, 수업단위의 크기, 쓰기와 말하기와 같은 반응양식, 사례 및 연습 수, 난이도도 고려해야 한다. 특히 연습 후에 주어지는 학습자 통제 수준과 읽기수준, 피드백 유형, 어휘와 용어, 강화 방법과 양, 수업 지속시간, 학습안내, 제공단서, 코칭 유형과 양 역시 이에 포함된다.

과제분석

학습목표   − 정보처리과정을 분석할 수 있다.
　　　　　　− 선수지식 분석을 실행할 수 있다.

1. 학습과제 분석

과제분석은 이전 단계에서 이루어진 요구분석에서 도출된 결과를 다음의 설계과정으로 안내하기 위한 과정이다. 이는 학습과제 분석의 최종산물로 학습목표의 목록을 작성하는 작업이 이루어지며 이를 근거로 각 단위수업에 포함될 내용이 결정된다.

학습과제를 분석하는 주요 단계는 다음과 같다.

- 학습목표(Learning Goals)를 진술한다.
- 학습목표의 유형을 판단한다.
- 정보처리과정을 분석한다.

- 출발점 행동 분석과 선수학습 유형을 판단한다.
- 명시적 학습목표(Learning Objectives) 및 선수학습 목표를 진술한다.

요구분석을 실시한 후에 교수설계자는 학습자가 교수 프로그램을 학습하고 수행할 수 있도록 하는 학습목표를 얻을 수 있게 된다.

예) 초등학교 6학년 수준의 자료를 읽을 수 있다.
    고장난 DVD를 수리할 수 있다.

이 같은 학습목표는 교과 또는 단원, 코스에서 달성해야 할 목표가 된다. 학습목표는 학습자가 학습해야 하는 내용을 정확하게 반영해야 하므로 요구분석을 통해 규명된 문제와 부합하도록 진술해야 한다. 학습목표가 중요한 이유는 지향하는 목표가 정확할수록 이를 중심으로 하는 교수전략이나 평가의 설계와 개발이 용이하기 때문이다.

예를 들어, 다음의 네 가지 목표를 비교해 볼 수 있다.

예 1) 네 가지의 기능불량 중 한 가지 이유로 고장난 VCR이 주어졌을 때, 해당하는 기능고장을 찾아 수리할 수 있다.

예 2) 업무편지에 들어가야 할 목표와 관련 정보가 주어졌을 때, 적절한 업무편지를 작성할 수 있다.

예 3) 고장난 DVD를 수리하는 방법을 이해한다.
    → 이 경우 '이해한다'의 의미에 따라 교수 프로그램이 다양한 방식으로 설계될 수 있다. 따라서 학습을 수행한 후 학습자가 할 수 있는 능력과 관련된 보다 명확한 학습목표가 제시되어야 한다.

예 4) 비디오를 통한 수업에서, 학습자는 DVD를 수리하는 기술자의 수리 상황을 시청한다.

→ 이 경우 '시청한다'는 교수 프로그램을 학습한 후에 학습자가 수행할 수 있어
야 하는 행동을 기술한 것이 아니므로, 아직 교수내용이 결정되지 않았다고
볼 수 있다.

1) 학습유형의 분석

일단 코스와 교과, 단원을 통해 달성해야 하는 학습목표가 설정되면 이에 따른
학습결과의 유형을 파악해야 한다. 학습유형을 파악하는 것은 교수설계 과정에
서 교수방법과 학습결과 평가방법을 결정하기 때문에 중요하다. 특히 과제의
유형에 따라 학습에 필요한 인지적 노력의 종류, 양, 학습조건, 평가방법이 달
라지기 때문에 이 점에 유의하여 과제의 유형을 분석하는 것이 필요하다.

예 1) 김소월의 '진달래꽃'을 암송하는 학습

이 학습의 경우 암송이라는 특별한 지적 노력과 함께 주의집중, 인내가 요구
되는 기억학습 과제라는 특성을 지닌다. 이 경우 시에 내포된 의미와 맥락을 설
명하고 시를 암기할 단위를 나누어 한 번에 한 부분씩 암기한 후 전체 시를 암
송할 수 있도록 교수설계가 이루어져야 한다.

예 2) 기하학의 정리를 증명하는 학습

이 학습의 경우 학습자는 기하학과 관련된 많은 원리와 법칙을 기억해야 한
다. 그리고 이 원리들 가운데 증명에 적합한 원리를 선택하고, 이 원리들이 적
용될 순시를 결정해야 한다.
이때 교수자는 학습자가 증명에 적합한 원리를 상기할 수 있도록 해야 하
며, 학습 목적과 목표를 묻고 이를 달성하기 위한 다양한 연습과 피드백을 제공

한다.

그리고 학습의 결과에 대한 평가는 학습자가 이전에 경험하지 않은 문제들을 증명하도록 하는 방법을 활용할 수 있다.

2) 학습유형의 분류

학습유형의 분류를 학자별로 살펴보면 다음과 같다.

블룸(Bloom, 1956)

블룸은 인지적 영역의 목표분류표를 기준으로 기억과 이해, 적용, 분석, 종합, 평가로 학습 유형을 구분했다.

메릴(Merril, 1983)

메릴은 학습유형을 분류하기 위해 학습내용의 유형을 사실과 개념, 절차, 원리로 나누고 이 네 가지 유형을 학습자가 각 내용 범주에서 수행할 수 있는 기억과 활용, 발견의 세 가지 수행수준과 교차시켰다.

가네(Gagné, 1985)

학습결과를 선언적 또는 언어정보, 지적 기능, 인지전략, 태도, 운동기능이라는 다섯 가지 범주로 나누었다. 가네의 분류는 교수자료를 설계할 때 가장 기본적으로 많이 사용되고 있는 학습유형 분류이다.

2. 정보처리과정 분석

정보처리과정의 분석은 보다 효율적인 교수를 위해 학습목표와 관련이 없는 내용은 포함되지 않도록 하고, 반대로 목표를 달성하기 위해 필요한 모든 내용은 반드시 제공하기 위해 필요한 활동이다.

정보처리과정 분석은 정해진 학습목표를 바탕으로 학습자가 학습해야 하는 하위 구성요소로 나누는 단계이다. 교수설계자는 학습자가 이 학습과제를 해결하기 위해 거쳐야 하는 인지적 단계 또는 물리적 단계는 무엇인가에 대한 질문에 기초하여 학습목표를 보다 작은 구성요소로 나누어야 한다. 이때 선언적 지식, 지적 기능, 인지전략, 운동기능, 태도 등의 특정 학습결과의 범주에서의 정보처리과정 분석은 어느정도 유사성을 가질 수 있다.

그러나 초보 교수설계자들의 경우 정보처리과정 분석을 제대로 이해하지 못하고 학습목표를 달성하기 위해 어떻게 가르쳐야 할 것인가를 분석하는 오류를 범할 수도 있다. 따라서 정보처리과정 분석 단계에서는 학습내용을 명료화하는 데 중점을 두어야 한다.

개념학습에서의 정보처리과정 분석에 대한 예를 살펴보면 다음과 같다. 이 경우 아래 예시와 같이 가장 포괄적인 속성을 먼저 고려한 정보처리과정이 효율적이라고 할 수 있다.

- 학습목표: 여러 도형 가운데에서 마름모를 찾아낼 수 있다.
- 정보처리과정
  ① 마름모의 특성을 기억한다.
  ② 모양이 다각형인지를 판단한다(다각형이면 ③으로, 다각형이 아니라면 ⑥으로).
  ③ 모양이 평행사변형인지를 판단한다(평행사변형이면 ④로, 평행사변형이 아니라면 ⑥으로).
  ④ 도형의 변이 등변인지를 판단한다(등변이면 ⑤로, 등변이 아니라면 ⑥으로).

⑤ 도형의 두 대각선이 이루는 각이 직각인지 판단한다(직각이라면 마름
   모로, 직각이 아니라면 ⑥으로).
⑥ 이 도형은 마름모가 아님

3. 선수지식 분석

학습자의 선수지식을 분석하는 것은 최상위 수준의 학습과제를 기점으로 하위
작은 과제 단위로 분석해 내려가는 하향식 분석(Top Down Analysis)이다.

예를 들어 앞선 정보처리과정에서 분석된 '마름모'에 대한 개념학습에서 '④
도형의 변이 등변인지를 판단한다'에 대한 선수지식을 분석하는 과정은 다음과
같다.

- '등변'을 정의할 수 있다.
- '변' 개념의 예를 안다.
- 기하학에서 '같다'라는 말의 의미를 정의할 수 있다.

교수설계자는 분석된 선수지식을 학습자가 어느 정도 소유하고 있는지 평가
하여 학습자가 이미 소유한 지식이나 기술을 출발점 행동으로 정의해야 한다.
이렇게 학습목표에 대한 선수지식이 분석되면 분석의 결과는 학습목표로 전환
가능하다. 이때 교수설계자는 분석된 선수지식을 학습을 위해 유의미하게 통합
하기 위한 전략을 고안해야 한다.

4. 학습목표 진술

학습목표(Learning Objectives)는 학습자가 학습한 내용을 수행하는 행동을 기술하는 것으로 명확하게 기술되어야 한다. 따라서 진술된 학습목표는 학습자가 학습을 마쳤을 때 할 수 있어야 하는 명확한 행동으로 진술되어야 하며, 이때 학습자의 수행은 그들이 학습한 사실과 내용을 알 수 있도록 관찰 가능해야 한다.

예를 들어, 학습자가 생태계를 구성하는 변인들의 상호작용을 경험하는 시뮬레이션 게임을 한다면 학습에서 접한 생태계에 대한 묘사를 근거로 오염원을 규명하고, 규명된 오염원을 통제하거나 제거하기 위한 방법을 제안하는 것을 학습목표로 진술할 수 있다.

결국, 학습목표는 학습자가 행해야 할 최종 성취행동, 조건, 준거의 세 가지 구성요소를 중심으로 학습결과를 언어적으로 진술한 것이라고 정리할 수 있다.

교수평가

학습목표
- 좋은 검사도구의 특징을 설명할 수 있다.
- 검사설계의 절차를 설명할 수 있다.
- 목표에 따라 적절한 문항명세서를 기술하고, 문항명세서와 일치하는 검사문항을 작성할 수 있다.
- 검사길이, 내용영역에 대한 설명, 비율, 지시사항, 채점방법, 문항의 가중치, 준거수준 등을 명시한 검사도구 청사진을 만들 수 있다.

1. 검사유형

교수설계자는 학습목표를 개발할 때, 개발될 목표에 부합하는 검사도구에 관해 고려해야 한다. 그리고 학습목표에 기술된 조건과 행동은 각 검사문항을 개발하는 데 활용된다.

1) 검사의 목적

개별 학생의 수행을 검사하는 것은 개별 학습자가 목표를 달성했는지 여부를 확인하기 위해서이다. 이러한 검사는 향후 학습자의 목표 달성을 위한 교수자료의 수정과정에 중요한 정보를 제공하게 된다. 예를 들어 교수가 얼마나 효과적이었는가, 효율적이었으며 흥미를 끌었는가, 효과가 없었다면 어떤 변화가

필요한가에 대한 정보가 검사를 통해 규명되기 때문이다. 이 장에서는 개별 학
생의 수행검사에 초점을 맞추어 살펴보고자 한다.

2) 검사문항의 설계

교수설계자는 검사문항을 설계할 때 다음 사항을 고려해야 한다. 우선 검사도구
의 목적과 개발모형을 파악해야 한다. 또한 어떤 종류의 검사가 필요하고, 어느
부분에서 교수전략이 발생해야 하는지를 결정해야 하며, 학습자가 지시사항을
알 수 있도록 문항명세서 형태로 작성된 지시사항과 검사문항을 작성해야 한다.

　더불어 어떠한 목표에 준해 학습자의 수행을 검사하는 데 필요한 문항의 수
가 얼마나 있어야 하는지, 적절한 수행을 가늠하는 척도가 무엇인지를 결정해
야 하며, 검사도구에서 기준이 될 목표들의 비율을 결정하여 검사문항을 설계
해야 한다.

3) 성취검사모형과 목적

검사가 지향하는바, 즉 검사목적에 따라 이를 측정하는 도구 설계 방법 역시 조
금씩 달라질 수 있다. 따라서 교수설계자는 우선 검사도구의 목적과 개발모형
을 파악하고 항상 염두에 두어야 한다.

　성취검사모형과 목적을 표로 정리하면 다음과 같다.

성취검사모형과 목적

	목적	효과
준거지향검사	학습자 능력의 수준을 결정하는 데 목적이 있다.	학습자가 다음 학습을 수행할 준비가 되어 있는지, 보충 및 교정학습이 필요한지 등의 여부를 결정하는 데 유용한 정보를 제공한다.
규준지향검사	서로 다른 학습자들의 능력을 비교하고, 그 능력의 차이를 극대화하는 점수 분포를 얻는 것에 목적이 있다.	학습자들의 성적 순위를 보여준다.

4) 검사의 유형

검사의 유형에는 출발점 행동 검사, 사전검사, 사후검사가 있다.

출발점 행동 검사

학습자가 학습을 시작하기 전, 학습해야 할 주제와 관련하여 어느 정도의 선수학습 능력과 지식을 가지고 있는지를 확인하는 데 그 목적이 있다.

사전검사

학습자가 앞으로 학습하게 될 주제에 대해 이미 알고 있는 내용이 무엇인지를 확인하기 위한 검사로, 이를 통해 교수설계자는 학습자가 앞으로 학습해야 할 것이 무엇인지를 결정하게 된다.

사후검사

학습 초기에 설정한 학습목표를 달성했는지 여부를 알기 위한 검사로 교수가 끝날 무렵에 실시하게 된다.

2. 검사도구의 특징

좋은 준거지향 검사도구의 경우 타당성, 신뢰성, 실용성이 있어야 한다. 이러한 특징은 적합성(Congruence), 완벽성(Completeness), 일관성(Consistency), 확신성(Confidence), 비용(Cost)이라는 다섯 가지의 C로 표현할 수 있다.

1) 타당성

교수설계자는 목적이나 목표에 제시된 원래 의도를 가능한 한 충실히 반영하여 검사문항을 개발해야 한다. 따라서 검사문항은 측정하고자 하는 목적이나 목표와 부합되는 일관성을 띠어야 하며, 각 목표에 대한 문항은 해당 목표에 대해 개발 가능성이 있는 문항들의 범위를 대표할 수 있어야 한다. 이를 위해 검사도구들이 근거하고 있는 목표들이 적절하게 표집되어야 한다.

2) 신뢰성

교수설계자는 검사도구가 측정하고자 하는 것을 일관성 있게 측정하고, 이를 통해 도출된 점수, 즉 결과에 확신을 가질 수 있는 검사문항을 개발해야 하는데, 이것을 검사도구의 신뢰성이라 한다.

구체적으로, 높은 점수를 얻은 학습자는 낮은 점수를 받은 학습자보다 목표로 삼은 학습결과에 대한 성취가 더 높다고 확신할 수 있는 검사여야 한다는 의미로, 결과는 객관적으로 채점될 수 있어야 한다. 학습자 지식을 적절하게 반영할 수 있는 기회를 제공해야 함과 동시에 검사문항은 학습자가 명확하게 이해하고 응답할 수 있도록 명료해야 하고 지시사항 또한 분명해야 한다.

3) 실용성

검사도구를 개발할 때에는 검사상황의 제한된 자원을 고려하여 그 범위 안에서 타당하고 신뢰할 수 있는 검사가 이루어지도록 해야 한다. 이를 위해서는 검사도구 개발에 주어진 시간과 검사를 실시하는 시간, 검사결과를 보고해야 하는 시간이 고려되어야 한다.

3. 검사형식

검사형식은 크게 학습자의 수행을 근거로 하는 수행검사와 일반적인 시험형태로 진행되는 지필검사로 나눌 수 있다.

1) 수행검사

수행검사에 대해 스미스와 라간(Smith & Ragan, 2000)은 완수하기 위해 엄청난 시간이 필요한 개방적인 학습과제에 대해 복잡하고 고차원적인 지식과 기능을 실제로 그것들이 사용되는 실세계 맥락 속에서 검사하는 것이라고 정의했다. 또한 스완슨 등(Swanson, Norman, Linn, 1995)은 수행검사를 '실제적(Authentic)' 검사라고 했다.

스미스와 라간(Smith & Ragan, 2002: 203)에 따르면 린(Linn, 1994)은 수행평가의 적절성을 평가하기 위해 엄격한 준거를 제시했다. 그 준거에는 "타당성 기준, 교수실제에 대한 검사결과, 직접성(Directness), 투명성, 공정성, 전이와 일반화 가능성, 적절한 과제의 인지적 복잡성, 내용의 질, 내용의 포괄범위, 유의미성, 비용, 효율성 등"이 포함된다.

교수설계자는 수행평가를 위한 검사설계 시 이 같은 준거들 간의 우선적 요소를 고려한 타협에 신경을 써야 한다.

수행관찰

수행검사의 한 형태로 직무상의 수행관찰이 있다. 이는 학습자와 함께 실제 현장에 나가 학습한 내용을 학습자가 수행하도록 하여 학습여부를 확인하는 데 가장 효과적인 방법이다. 실제 상황에서 학습자의 수행을 검사하게 되면, 검사도구로 체크리스트나 평정척도를 사용할 수 있다.

시뮬레이션

시뮬레이션은 실제 상황에서 수행을 검사하는 것이 현실적으로 불가능하거나 바람직하지 않은 경우에 사용하는 검사방법이다. 학습자의 태도상의 변화와 더욱 고차원적인 규칙을 학습하는 데 유용한 교수전략이자 검사형식인 시뮬레이션은 인쇄물, 비디오, 집단 상호작용, 컴퓨터, 상호작용 멀티미디어 도구와 함께 사용 가능하다. 검사 시 수행관찰과 마찬가지로 체크리스트나 평정척도를 사용할 수 있다.

에세이

에세이 문항은 객관적으로 검사하기에는 어려움이 있으나 이를 활용한 검사를 실시할 경우 문제가 될 수 있는 주관성을 줄이기 위해 체크리스트, 평정척도, 모범답안을 활용하거나, 여러 명의 채점자를 두는 등의 방법으로 실시할 수 있다.

포트폴리오

포트폴리오는 학습자의 수행에 관한 총체적인 것을 볼 수 있는 검사방법으로 광범위한 학습목표를 검사하는 데 유용하다.

> "포트폴리오는 어떤 영역에서 노력, 진전과정, 성취를 말해 주는 학습자의 작업을 의도적으로 모아 놓은 것을 말한다. 포트폴리오 내용의 선택, 선택을 위한 가이드라인, 질을 판단하기 위한 준거, 학습자의 자기성찰 증거 등을 결정할 때 학습자가 참여하게 해야 한다."
>
> (Smith & Ragan, 2002: 203)

2) 지필검사

지필검사는 우리가 흔히 알고 있는 시험과 같은 형태의 검사이며 선다형, 진위형, 짝짓기, 완성형, 단답형 등의 형식이 있다. 지필검사의 경우, 수행검사와 달리 분명한 답이 있다는 특징이 있다.

회상문항

회상문항은 수업에서 이미 설명된 것이나 요약된 형식으로 제시된 지식을 학습자가 간단하게 재생할 것을 요구하는 문항을 의미한다. 회상문항을 활용한 검사의 경우, 학습자의 기억에 의존하여 더욱 고차원적인 사고과정에는 별로 의존하지 않는다는 한계가 있다.

재인문항

재인문항은 여러 가지 대안들 중에서 정답을 재인하거나 확인하는 문항을 의미한다. 선언적 지식의 회상을 요구하거나 정답을 재인하기 위해 학습자가 학습을 통해 획득한 개념이나 원리를 적용하도록 하는 고차원적 인지기능을 사용하기도 한다.

구성문항

구성문항은 답을 구성하도록 하는 문항으로 학습자로 하여금 암기한 답에 반응하기보다 높은 수준의 지적 기능을 발휘할 것을 요구한다. 구성문항은 답을 유추할 수 있도록 주어지는 단서가 적고, 재인문항보다 선택 가능한 답의 폭이 더 넓으며 학습자의 기억과 인지전략에 더 많은 부담을 준다는 특징이 있다.

4. 검사문항

문항명세서(Pophom, 1978)는 목표에 포함된 학습내용의 범위와 난이도를 적적하게 구성하도록 지원하는 방법이다. 이를 활용할 경우, 검사하게 될 목표가 묘사하는 학습결과의 유형을 분명히 알고 그 목표를 달성하기 위해 사용 가능한 문항형식을 파악할 수 있어 이를 근거로 문항개발을 시작할 수 있다.

검사문항 명세서에는 목표진술, 검사형식 기술, 표본문항, 문항특성, 반응특성, 문항수와 정답기준이 포함된다.

1) 목표진술

학습목표는 조건, 수행, 기준의 세 가지 구성요소를 통해 기술된다. 만약 설정한 목표의 의도가 분명하지 않다면, 목표를 보다 정교화할 필요가 있다.

목표진술의 예:

2, 3, 4자리로 나누어지는 수와 두 자리의 나누는 수가 있는 나눗셈에서 학습자는 몫과 나머지를 구할 수 있다.

2) 검사형식 기술

검사형식에 대한 기술은 검사문항이 취할 형식을 진술하는 것이다. 선다형 문제부터 컴퓨터 기반 시뮬레이션과 같은 복잡한 수준에 이르기까지 다양한 방법에 대해 기술할 수 있으며 이 단계에서 세부사항을 명확하게 진술할수록 다음 단계들을 수행하는 것이 수월해진다.

검사형식 기술의 예:

- 목표가 주어지면, 문항형식으로 몇 가지(짝짓기, 선다형, 단답형, 진위형 등)를 선택할 수 있음
- 이 경우 다음과 같은 검사형식을 상술함

  검사문항은 단답형으로 한다. 학습자는 자신이 구한 몫의 값을 적어야 한다.

3) 표본문항

표본문항은 모든 문항에 적용되어야 할 지시사항을 포함한 문항의 표본적인 예

를 보여 준다.

표본문항의 예:

아래의 문제제시에서 변할 수 있는 요소는 나누어지는 수의 값, 나누는 수의 값, 문항제시 형식 등임

다음 문제의 몫을 적어라.

1475/25＝

$1475 - 25 = 25\sqrt{1475}$

4) 문항특성

진술된 문항특성은 전체 검사명세서에서 가장 중요한 요소이다. 이는 문제, 지필검사, 시뮬레이션의 시나리오, 혹은 직무검사에서 관찰될 상황특성을 포함한다. 또한 학습자가 반응하게 될 문항의 난이도와 내용영역에 대한 사울과 문항에 포함되지 않아야 할 특성과 포함되어야 할 특성을 정의한다.

문항특성의 예:

- 나눗셈 문제는 x/y 형식을 따른다.
- 나누어지는 수는 2, 3, 4, 5 자리수가 된다. 가장 왼쪽을 제외하고 모든 자리 값에서 0이 있을 수 있다.
- 나누어지는 수는 두 자리수가 되도록 한다. 10자리에 0이 있으면 안 된다는 것을 제외하면 0이 있을 수 있다.
- 나머지를 가지지 않도록 문제를 만든다. 몫이 분수나 0이 되지 않도록 해야 한다.
- 문제는 10%는 나누어지는 수가 두 자리여야 하고, 50%는 세 자리수, 40%는 다섯 자리수가 되도록 한다.

5) 반응특성

반응특성은 그 문항이 학습자가 답을 선택할 수 있는 재인문항인지, 스스로 답을 생각해 내야 하는 회상문항 아니면 구성문항인지에 따라 다르게 진술된다.

반응특성의 예:

- 각 문항은 4개의 선택지를 가지고 있으며, 정답 하나와 세 개의 틀린 답이 있다. 정답에 동그라미 치게 한다
- 정답은 문제의 몫으로 나머지가 없는 1, 2, 3, 4자리 숫자이다. 몫은 0을 포함해서는 안 된다.
- 틀린 답 하나는 몫의 자리 값을 잘못 나타내는 것이 되어야 한다.(예를 들면 28 대신에 280)
- 틀린 답 하나는 부분적 계산에 빼기를 잘못한 것이어야 한다.
- 틀린 답 하나는 부분적인 계산을 하는 동안 나누어지는 수에서 정확하게 내려받지 못하는 것을 나타내야 한다.

6) 문항수와 정답기준

문항수와 정답기준은 특정 목표에 대해 몇 개의 문항을 포함시킬 것인지, 성취도를 평가하기 위해 학습자는 몇 개의 문항을 맞추어야 하는지 등의 보다 현실적인 추정을 위해 진술된다.

문항수와 정답기준의 예:

- 문항수는 최소 10이상 최대 30까지 한다.
- 숙달수준은 70%이다. 그러나 난이도가 상, 중 하인 문항들 중에서 적어도 하나씩은 맞추어야 한다.

5. 검사도구 청사진

문항명세서는 각각의 학습목표에 대한 문항의 특성을 포함한다. 그러나 검사도구는 보통 한 가지 이상의 목표에 대한 학습자의 수행을 검사하는 것을 목적으로 하므로 검사를 설계할 때에는 모든 문항명세서를 고려한 전체적인 검사도구를 정의해야 한다. 이 같은 계획을 검사도구 청사진이라 한다.

검사도구 청사진에는 문항수, 문항비율, 지시사항, 채점방법, 문항가중치, 통과 혹은 낙제 점수, 검사문항 만들기가 포함된다.

1) 문항수

시험시간과 채점시간을 고려하여 각 목표를 검사하기 위해 필요한 문항의 수와 전체 문항의 수를 결정한다.

2) 문항비율

전체 문항수와 밀접한 관계가 있는 중요한 목표가 있을 경우, 그 목표와 관련된 문항의 비율을 높여 중요성을 강조할 수 있다.

3) 지시사항

전체 검사도구와 관련하여 학습자를 위한 지시사항과 검사를 시행하는 사람을 위한 지시사항이 필요하다.

이 지시사항에는 검사도구의 제한시간과 길이, 반응종류에 대한 설명, 특정 검사지침에 대한 주의사항이 포함된다. 검사 시행자들에 대한 지시사항은 학습자의 질문에 반응하는 방법, 검사장소를 준비하는 방법, 검사에 필요한 자료, 시간, 검사의 신뢰성, 타당성, 실제성을 보장하는 데 필요한 적절한 정보를 제공할 수 있어야 한다.

- 채점방법: 채점에 대한 단서 작성방법이다. 선다형이나 진위형 문항의 경우에는 전반적으로 간략한 채점방법 기술이 이루어지겠으나, 직무관찰이나 시뮬레이션, 에세이 문항과 같은 형식의 문항을 채점할 때에는 오류를 줄이기 위해 가능한 한 자세한 채점방법이 기술되어야 한다.
- 문항가중치: 중요한 목표와 관련된 문항은 더 많이 포함시켜 가중치를 조절할 수 있다.
- 통과 혹은 낙제 점수: 학습을 마친 학습자의 바람직한 수행을 예측하기 위한 최소한의 준거수준을 확증할 수 있는 정보를 수집하고 이에 근거하여 전체 검사의 통과기준을 제시한다.
- 검사문항 만들기: 앞선 모든 단계를 거친 후, 기술된 사항에 따라 문항을 개발한다.

교수전략

학습목표   − 교수설계 과정에서 교수전략의 기능을 설명할 수 있다.

− 선언적 지식의 세 가지 형태를 설명할 수 있다.

− 선언적 지식을 학습할 때 포함되는 세 가지 중요한 인지적 활동을 파악할 수 있다.

1. 학습 프로그램 수준 조직전략

학습 프로그램의 수준을 조직하는 것은 '어떤 내용을 제시해야 하는가?', '이 내용을 어떻게 제시해야 할 것인가?', '교수는 어떤 순서로 이루어져야 할 것인가?'에 대한 해답을 근거로 한다. 교수설계자는 학습자의 인지과정을 촉진하기 위해 '도입 → 전개 → 결론 → 평가'의 일반적 조직전략을 선택할 수 있다.

대표적인 학습 프로그램 수준의 조직전략으로는 가네(Gagné)의 9가지 교수사태를 들 수 있다. 가네의 9가지 교수사태는 ① 주의 획득, ② 학습자 목표 제시, ③ 선수학습능력 재생자극, ④ 자극자료 제시, ⑤ 학습지침 제공, ⑥ 수행행동 유도, ⑦ 정보적 피드백 제공, ⑧ 수행행동 평가, ⑨ 기억 및 전이 증진으로 구성된다.

2. 선언적 지식

1) 선언적 지식의 세 가지 하위 유형

선언적 지식에는 세 가지 유형이 있다. 명칭과 라벨, 사실과 목록, 조직된 담론이 그것이다. 각각에 대한 부연설명과 예시는 다음과 같다.

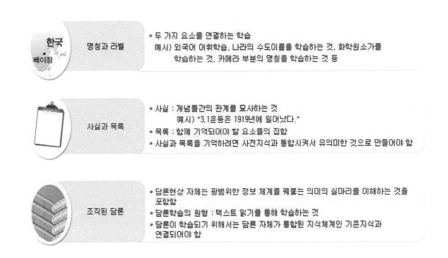

2) 선언적 지식 학습의 인지과정

선언적 지식 학습의 인지과정은 ① 기존 지식과 연결하기, ② 조직하기, ③ 정교화하기로 구성된다.

기존 지식과 연결하기

학습자가 선언적 지식을 보다 쉽게 학습하고 회상하고, 실제 활용하기 위해서는 학습자의 기존 지식과의 연결이 반드시 필요하다.

　학습자에게 새롭게 유입되는 정보는 그것과 연결될 수 있는 사전지식이 있을 때 비로소 유의미해지며, 연결할 사전지식이 부족한 경우 학습자는 이를 인위적으로 연결해야 한다. 이러한 측면에서 선언적 지식을 학습하는 과정의 핵심은 바로 의미의 창조라고 할 수 있다.

조직하기

새로운 정보의 조직은 선언적 지식의 학습을 촉진하는 또 다른 인지적 활동이다. 예를 들어 학습자가 '15557658902'라는 새로운 정보를 받아들일 때, 이 정보를 그대로 수용하기보다는 '1 555 765 8902'의 형태로 묶어 기억을 용이하게 하는 것을 조직하기라 할 수 있다. 이처럼 정보를 조직했을 때 학습자는 정보를 더 잘 기억할 수 있으며 인지적 부담을 줄일 수 있다.

정교화하기

정교화하기는 학습자가 수용하게 되는 정보 내에서 연결고리를 만들어 내는 기본적인 과정이다. 이는 학습자의 기존 지식과 구조에 새로운 정보를 연결하기 위한 활동이다. 그러나 아직 동기유발이 되지 않은 학습자, 필요한 학습전략을 사용하는 것이 익숙하지 않은 학습자, 사전지식이 없는 학습자 등은 학습자료가 명확하게 제시된 경우에도 선언적 지식을 학습하는 데 필요한 정신활동에 참여하지 않기도 한다. 따라서 활용되는 수업전략은 학습자가 학습자료를 학습하는 데 필요한 정교화의 수행을 촉진할 수 있어야 한다.

3) 선언적 지식 학습을 위한 교수활동별 학습조건

선언적 지식 학습을 위한 교수활동별 학습조건은 도입과 전개, 결론으로 나누어 살펴볼 수 있다.

도입

도입 단계에서는 학습자의 주의를 획득하고 흥미와 동기 유발, 교수목표 설정, 학습내용 소개가 이루어진다. 이 단계에서는 현재의 학습이 다른 학습과제와 어떻게 연결되어 있는지 밝히며 학습자의 주의를 획득하고, 흥미와 동기 유발에 초점을 맞춘 활동이 이루어져야 한다. 이를 위해서는 보다 새롭고 갈등적이며 역설적인 상황을 사용하고 개인적이고 감정적인 요소를 주입해야 한다.

또 교수목표를 설정하기 위해서는 교수 목적이나 직무요구와 관련지어 교수목표를 적절한 것으로 만들고, 이 목표를 흥미로운 형태로 제시하는 활동이 이루어져야 한다. 뿐만 아니라 학습자가 기억해야 하는 형식을 알게 하는 것도 중요하므로 학습자에게는 관련된 학습전략을 상기시키고, 학습목표를 성공적으로 달성하기 위한 요구사항을 지적해야 한다.

한편, 도입 단계에서는 학습내용을 소개하기 위해 선행조직자나 정수, 개요, 지도 등을 활용할 수 있으며 이들은 유용한 사전검토 형식이라 할 수 있다.

전개

전개 단계에서는 사전지식을 회상하고, 학습정보를 처리하는 활동이 이루어진다. 이때 선행조직자, 메타포 장치, 선수조건이 되는 개념을 복습하는 방식을 활용한다. 따라서 이 단계에서는 선언적 지식의 세 가지 하위 유형 중 라벨과 명칭은 분류와 분할을 이용한 조직과 문장을 정교화하는 과정을 거치고, 사실과 목록은 이미지를 활용한 연합과 설명적 구조와 서사적 구조, 패턴인식 및 분류와 분할, 정교화를 통한 조직을 거치게 된다. 또한 조직된 담론 유형에서는 심상과 메타포 장치를 통한 연습과 설명적이고 서사적인 구조 분석 및 그래픽 조직자 사용, 프레임, 개념지도 만들기를 통한 조직, 정교화 모형을 통한 정교화 활동이 이루어진다.

한편 이 단계에서는 선택적 주의집중이 필요하며 학습자를 위해 학습전략을 활용하게 된다. 밑줄 긋기, 열거하기, 성찰하기, 사전·사후·중간 질문을 활용하며 이전에 언급된 전략 역시 활용할 수 있다. 첫 글자 사용, 부호화, 장소법, 운율, 비슷한 소리 반복을 활용하며 리허설이 이루어진다.

전개 단계에서는 연습활동도 이루어지는데, 이는 회상과 재인, 학습과제, 학습한 것을 그대로 회상하는 것과 말을 바꾸어야 하는 회상, 시간간격을 둔 연습 등 각기 다른 연습을 필요로 한다는 점을 고려하여 자동성을 부여하는 역할을 한다.

마지막으로 전개 단계에서 피드백과 평가 활동도 이루어진다. 피드백은 조직된 담론에 필요한 이해의 내용을 담은 피드백과, 대조되는 것으로는 요소들 간의 연합성의 정확성을 평가하는 라벨, 사실, 명칭에 필요한 피드백이 있다.

결론

결론 단계에서는 요약과 복습활동이 이루어진다. 요약에는 인지구조를 조율하여 학습자가 생성한 요약이 있으며, 학습자의 정신지도에 있어서 가능한 연결의 수 증가, 여러 가지 상황에서의 적용, 학습자의 추론 등의 내용을 담은 복습이 있다. 또한 이 단계에는 동기지속과 학습의 종결이 이루어진다.

평가

마지막으로 평가 단계에서는 수행평가가 이루어진다. 이를 통해서는 학습자의 수행이 목표에 일치하는지를 살펴볼 수 있다. 학습을 위해 필요한 것들을 파악하고 명확하게 할 수 있는 피드백과 교정 역시 이 단계에서 이루어진다.

3. 개념학습

1) 개념학습의 정의

특정한 성격을 공유하고, 같은 이름으로 불리는 사물과 사건, 기호들의 집합을 개념이라 칭한다(정인성, 나일주, 1998: 131).

개념은 구체적 개념과 추상적 개념으로 나눌 수 있다. 구체적 개념은 그것의 물리적 특징을 오감으로 알 수 있는 것으로 텔레비전, 아파트, 사각형, 양서류 등을 그 예로 들 수 있다. 추상적 개념은 외양적으로 인식할 수 없는 것으로 정의된 개념으로 규범, 사랑, 우정, 보세구역 등이 그 예이다. 그러나 이같이 구체적인 것과 추상적인 것이 개념을 나누는 절대적 기준은 아니며 어떤 것은 학습자의 수준에 따라 구체적인 개념이 될 수도 있고 추상적인 개념이 될 수도 있다는 점에 유의해야 한다.

예를 들어, 초등학생에게 컴퓨터는 구체적인 사물로 물리적으로 인식할 수 있는 대상이나. 그러나 대학생에게 컴퓨터는 단순히 물리적인 사물일 뿐만 아니라 정보를 디지털 방식으로 처리할 수 있는 능력이 내장된 기기라는 추상적 개념으로서의 인식도 가능하다.

따라서 학습자가 '부르주아'라는 개념을 말이나 글로 적절하게 사용할 수 있고, 그것이 사용될 때 그 의미를 이해할 수 있다면 그 학습자는 해당 개념을 획득했다고 할 수 있다.

2) 개념학습의 인지과정

개념학습을 하기 위한 인지과정은 일반화와 변별의 과정을 거친다.

일반화 과정에서 학습자는 어떤 개념을 처음 구성하게 될 때, 그 개념 자체를 넘어서 동일한 범주에 들어가는 다른 것으로 일반화하는 것을 배우게 된다. 즉 일반화는 특정한 것에서 일반성을 찾아내는 인지적 과정으로 개념의 일반화는 개념을 처음 접했던 장면과 다른 장면으로 그 개념을 정의하는 능력이라 할 수 있다.

변별이라는 인지과정을 통해 학습자는 개념의 특징 및 중요한 준거가 되는 속성을 가지고 있기는 하지만 해당 개념이 아닌 예와 개념인 예를 구별할 수 있다.

3) 개념학습의 필요조건

개념학습을 성공적으로 수행하기 위해서는 일반화와 변별을 촉진해야 한다. 그러나 지나친 일반화로 특정 개념의 어떤 특징을 갖기는 하지만 준거가 되는 속성을 가지고 있지 않은 것까지 해당 개념에 포함시키는 것과 반대로 과소 일반화하는 것을 줄이기 위해 주의를 기울여야 한다.

4. 원리학습

1) 원리학습의 정의

원리는 둘 이상의 개념들 간의 관계를 규정하는 것으로 이러한 관계는 조건과 결과 또는 원인과 결과 같은 형식으로 기술된다. '기체 온도가 일정할 때, 압력이 증가하면 부피는 줄어든다'는 보일의 법칙, '볼록렌즈의 곡률이 커질수록 초점의 길이는 짧아진다' 등이 원리의 예이다.

이러한 원리를 적용하면 만약 변인 중 하나가 변했을 경우에 어떤 일이 일어날지에 대한 예측이 가능하고, 무슨 일이 일어났는지 설명할 수 있다. 또한 원리를 알면 변인들이 서로 간에 주고받는 영향력을 통제할 수 있다.

그러나 원리학습과 원리를 말하는 능력의 학습을 혼동해서는 안 된다. 원리는 문제해결에 필요한 핵심 처리과정으로 학습자가 어떤 영역에서 문제를 발견하고 이를 해결하기 위해 그 영역의 주요 개념 간의 관계를 설명하는 원리를 알고 있어야 한다.

원리를 말하는 능력은 선언적 지식을 학습한 것과 같다. 이에 비해 원리학습은 전에 접한 적이 없는 다양한 상황에 원리를 적용하는 능력을 학습하는 것이다.

2) 원리학습의 인지과정

원리학습의 인지과정은 크게 네 단계로 나눌 수 있다.

첫째, 원리는 개념 간의 관계를 설명하는 것으로 표현된 개념들에 대한 사전지식이 필요하다. 이러한 사전지식은 원리학습의 전제가 된다.

둘째, 원리를 적용한 학습을 할 때 중요한 인지과제 중 하나는 원리를 적용할 수 있도록 특정 개념들이 관련되어 있는 상황을 인식하는 것을 배우는 것이다.

셋째, 이러한 인식을 가능하게 하기 위해서는 초기보다 더 많은 상황에서 원리를 일반화해야 한다. 또한 원리가 적용되지 않는 경우를 인식할 수 있는 변별력이 있어야 한다.

넷째, 학습자는 개념들의 관계를 진술하고, 어떤 개념들이 변했는지와 그 변화의 크기와 방향을 결정한다. 그리고 이러한 변화가 다른 개념들에 어떤 영향을 미치는지를 결정하는 인지과정을 거쳐야 한다.

5. 절차학습

1) 절차학습의 정의

절차는 어떤 목적을 달성하거나 특정한 일군(一群)의 문제를 풀거나, 어떤 산출물을 만들어내는 데 필요한 단계들을 순서화한 것이다(정인성, 나일주, 1998: 132).

예를 들어, 직류회로에서 전류의 세기를 측정하기 위해서는 어떤 단계를 거쳐야 하는지를 알아내는 것, 숫자들의 평균과 표준편차를 구하기 위해 전자계산기를 사용하는 방법을 말하는 것, 일차함수를 푸는 것을 절차학습이라고 할 수 있다.

이러한 많은 절차들은 알고리즘에 해당되며 이들 절차는 학습자가 순차적으로 따라야 하는 단계가 하나인 간단한 것부터, 많은 결정지점을 가지고 있는 복잡한 것일 수 있다. 후자의 경우 각각의 결정지점은 알고리즘을 통해 서로 다른 경로나 분지에 이르게 하는 단서가 될 수 있다. 예를 들어, 배터리가 충전되어 있는가의 여부에 따라 학습은 서로 다른 경로로 진행될 수 있다는 것이다.

절차학습에서 절차의 단계를 설명하고 열거하는 능력은 선언적 지식을 학습하는 것에 해당한다. 학습자는 절차학습을 통해 이전에 접하지 못했던 다양한 상황에 학습한 절차를 적용할 수 있는 능력을 획득하게 된다. 따라서 학습자는 절차를 학습할 때, 학습자의 기본적인 '내적 조건'으로 절차를 구성하는 일부가 되는 개념을 알고 있어야 하며, 학습을 통해 자신이 절차를 인지하고 있다는 것을 보여 주면서 이를 실제로 적용할 수도 있어야 한다.

절차학습은 원리학습과 긴밀한 관계를 맺는다. 우선 학습자는 방정식에서 미지수를 찾는 것과 같은 과제를 완수하기 위해 절차를 학습하게 된다. 그리고 절차를 적용한 결과로 절차 이면에 깔려 있는 원리를 학습하게 된다. 그러나 매번 이 같은 순서로 학습이 이루어지는 것은 아니다. 원리를 먼저 배우고 나서, 절차를 배우는 경우도 있을 수 있다.

중요한 점은 교수설계자는 절차를 가르치면서 학습자가 정보를 보다 유의미하게 받아들이고, 기억을 더 잘 하고, 전이가 더욱 잘 될 수 있도록 절차 이면에 깔려 있는 기저원리의 맥락에 근거하여 절차를 설명해야 한다는 것이다.

2) 절차학습의 인지과정

절차학습의 인지과정은 절차적 규칙에 대한 정보처리과정 분석으로 표현될 수 있다. 구체적인 절차적 규칙에 대한 정보처리과정은 다음과 같다.

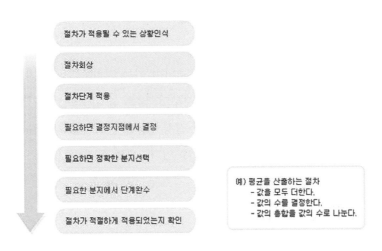

3) 일반적인 설계 결정

어떤 절차를 가르치기 전에 명확하고 분명한 형식으로 그 단계와 결정지점을 열거해야 한다. 따라서 절차를 언어로 기술할 때에는 다음과 같은 지침을 따라야 한다.

우선 가르칠 절차는 분명한 문장으로 기술되어야 한다. 또한 절차를 언어로 기술할 때에는 인지적 과제분석을 근거로 단계를 도출해야 한다. 그리고 이러한 단계는 단일한 기본 행동을 나타내야 하며, 가능한 한 각 결정은 두 가지 가능한 경로 중 하나를 선택하도록 이분법적인 것이 좋다. 만약 두 개 이상의 선택 방법 중에서 결정하게 될 경우, 결정을 통해 생기는 분지가 다섯 가지를 넘지 않도록 유의해야 한다. 또한 결정 단계는 질문형식으로 진술되고, 조작 단계는 명령문으로 진술되어야 한다.

4) 단순한 절차와 복잡한 절차

단순한 절차는 단계를 제시하고, 시범 보이고, 연습을 하게 하는 방식으로 학습자를 가르칠 수 있지만, 복잡한 절차일 경우 차후에 더 복잡한 형식으로 절차를 정교화할 수 있기 때문에 처음에는 가르치고자 하는 절차를 단순화하는 것이 필요하다. 예를 들면, 고장난 장비를 고치는 능력을 가르치기 위한 학습에서 학습자에게 가장 자주 일어나는 고장에 대해 먼저 가르치고, 점차 어려운 고장으로 넘어간다.

또한 주요한 분지들에 대한 교수와 연습을 별도로 제공하는 방법, 처음 사례로 단순화한 것을 제시하는 방법, 간단한 사례를 통해 학습을 시작하여 절차에 대해 교수하는 방법, 전체적인 절차를 짧은 시간에 보여 주기 위해 원래 사례의 내용을 줄이는 방법 등이 있다.

이때 주의해야 할 것은 어떤 절차의 개별적 단계를 모두 학습하는 데 시간이 많이 소요되고 학습자가 지겨워하거나 너무 복잡하다면, 처음 절차를 소개하고 연습할 때 개별 단계의 결과를 학습자에게 제시하는 것이 도움이 될 수 있다. 더불어 절차의 단계가 복잡할 때에는 학습자가 과제에 대해 가질 수 있는 부담을 줄이기 위해, 그 단계를 하위 단계로 나눈 개별적 단계들을 학습자가 함께 연습하거나 완수할 수 있도록 해야 한다.

6. 인지전략

1) 인지전략 학습의 정의

인지전략에 대해 가네와 브릭스(Gagné & Briggs, 1979)는 '학습자의 사고과정 또는 학습과정 및 학습행동에 대해 규제하거나 관리하는 학습자 내부의 조직전략'이라고 정의한 바 있다(정인성, 나일주, 1998: 48).

이후 가네(Gagné, 1985)는 학습을 위한 전략과 사고를 위한 전략을 두 가지 중요한 인지전략으로 보았다. 이 같은 인지전략의 정의에 근거하여 인지전략 학습은 학습자의 사고과정 또는 학습과정 및 학습행동을 규제·관리하는 학습자 내부의 조직전략을 학습하는 것이라고 할 수 있다.

학습전략

학습전략은 학습을 촉진하는 인지전략으로 지식이나 기능에 대한 학습을 촉진하기 위해 학습자가 활용하는 책략이다. 와인스테인과 메이어(Weinstein & Mayer, 1986)는 인지전략을 조직전략, 정교화 전략, 리허설 전략, 이해력 점검 전략 등으로 범주화했다. 정의적 영역에서의 학습전략은 학습과제에 대한 개인의 능동적 참여에 영향을 주고, 학습에 도움이 되는 심리적 태도를 유지하는, 즉 스스로 동기를 유발하는 능력이라 할 수 있다.

인지전략 학습의 예를 들어 보면 다음과 같다. 자장의 개념을 학습할 때, 학습자는 자석과 쇳가루를 이용하여 여러 종류의 시행을 거쳐 자석의 양 끝에 쇳가루가 붙는다는 사실을 알게 되고 궁극적으로 자석 끝을 둘러싼 '자장'의 개념을 습득할 수 있게 된다. 이때 학습자는 자장의 개념이나 어떻게 그 개념을 귀납적으로 유도해 낼지에 대해 직접적으로 배우지 않지만 귀납적 사고과정을 거쳐 자장의 개념을 밝혀낼 수 있다는 데 그 특징이 있으며, 여기서의 인지전략은 자장의 개념을 학습하도록 학습자의 사고과정을 관리하는 것이라 할 수 있다.

조직전략

조직전략은 학습자 기억 속에 있는 정보를 구조화하고, 새로운 정보를 적절한 구조 내의 기억으로 저장하는 데 활용되는 전략이다. 구체적으로 비슷한 정보를 함께 묶는 방법, 그래픽 조직자를 개발하는 방법, 내용을 요약하는 방법 등이 있다.

정교화 전략

정교화 전략은 학습자에게 유입되는 새로운 정보와 학습자가 이전에 획득한 지식을 연관지을 때 활용되는 전략이다. 구체적으로 정신적 이미지, 유추, 키워드 방법, 자신의 말로 다시 하기, 개인적인 예 생성하기, 생성적 노트하기 등의 방법이 있다.

리허설 전략

리허설 전략은 쉽게 구조화하거나 정교화할 수 없는 정보를 기호화하여 학습자가 기억하는 것을 돕기 위해 활용되는 전략이다. 구체적으로 항목의 이름을 만들어서 외우기와 같은 방법이 있다.

메타인지 전략

메타인지 전략은 자신의 인지과정을 학습자가 알고, 점검하고, 규제하는 것과 관련된 전략으로 스스로 질문하기와 같은 방법을 활용할 수 있다.

정의적 영역에서의 전략

정의적 영역에서의 전략은 학습과제에 대한 개인의 능동적 참여에 영향을 주고 학습에 도움이 되는 심리적 태도를 유지하여 스스로 동기를 유발하는 능력을 키워 주기 위해 활용될 수 있다. 구체적으로 시간 관리, 스트레스 감소 기법, 긍정적 자기 대화 등의 방법이 활용된다.

2) 인지전략 학습의 필요조건

인지전략을 적용한 학습 절차를 분석하면, 학습과제로 요구되는 것들이 무엇인지를 분명히 할 수 있다.

인지전략을 활용한 학습에서 일어나는 인지적 과정은 ① 학습과제에서 요구되는 것 분석하기, ② 예측되는 기억 부담과 한계를 포함하여 그 과제를 완수하기 위한 능력 분석하기, ③ 적절한 전략 선택하기, ④ 선택된 전략 적용하기, ⑤ 사용된 전략의 효과 평가하기, ⑥ 수정해야 할 필요가 있는 부분 수정하기로 구성된다. 이러한 일련의 과정들은 문제를 해결하기 위한 정보처리과정과 비슷하나 인지전략은 특정 영역의 내용보다는 다양한 내용 영역에 걸쳐 적용할 수 있다는 특징이 있다.

3) 일반적인 인지전략 교수 접근

일반적으로 이루어지는 인지전략 측면에서의 교수 접근법에는 ① 발견과 안내된 발견, ② 관찰, ③ 안내된 참여, ④ 인쇄매체에 의한 전략 교수 프로그램, ⑤ 직접적 설명, ⑥ 일대일 교수 프로그램, ⑦ 자기교수 훈련이 있다.

발견과 안내된 발견

발견과 안내된 발견은 교수자가 질문을 활용하여 학습자가 특정한 전략을 발견할 수 있도록 이끌어 주는 접근법이다.

관찰

관찰은 짝을 지어 인지전략을 협동적으로 적용하고, 교수자가 전문가 시범을 보이고, 시각적 혹은 텍스트로 제시되는 가공인물에 의한 상징적 모델링 등의 방법을 활용하는 접근법이다.

안내된 참여

안내된 참여는 학습자가 과제를 접할 때 학습자과 교수자가 함께 학습과제의 특징을 결정짓고, 해당 과제를 촉진할 수 있는 전략이 무엇인지 파악하고, 전략을 사용하는 효과적인 방법을 활용하는 접근법이다. 이러한 활동 유형은 보통 전략에 관한 직접 수업은 포함하지 않는다.

인쇄매체에 의한 전략 교수 프로그램

인쇄매체에 의한 전략 교수 프로그램은 학습자가 학습해야 할 인지전략을 '미리 포장한' 프로그램이라 할 수 있다. 그러나 이 접근법은 전략들이 실제로 적용되어야 하는 맥락으로 전이를 촉진하지 못한다는 단점이 있다.

직접적 설명

직접적 설명은 학습자에게 전략의 절차를 가르치는 것과 더불어 언제 어디서 이 전략을 적용할지에 대한 정보를 제공하는 접근법이다. 직접 수업 방법으로는 구체적 예와 모델링 제시, 연습이 있다.

일대일 교수 프로그램

일대일 교수 프로그램은 학습자와 특정 영역에 대해 잘 아는 성인의 일대일 상호작용을 포함하는 프로그램이다. 이때 성인은 사고구술 절차를 통해 명백하게 학습자에게 사고과정을 제시하며 전략의 실제 적용을 시범한다. 이후에 학습자는 성인에게 자신이 인지한 전략을 보여 주고, 성인은 이 전략의 적용을 감독하고 충고하는 역할을 하게 된다.

자기교수 훈련

자기교수 훈련은 스스로 학습하는 학습과정과 더불어 전략의 사용을 보여 주고, 학습자에게 피드백을 제공하는 교수자와의 능동적 상호작용을 포함하는 접근법이다. 교수자는 초기에는 겉으로 드러나게 도와주다가 나중에는 드러나지 않게 도와주면서 학습자가 참여하게 되는 형태로 진행된다.

4) 인지전략 학습 촉진활동

데이비슨과 스미스(Davidson & Smith, 1990)는 인지전략 학습을 촉진하기 위한 활동을 다음과 같이 제시했다.

우선 언제 어디서 이 전략을 활용할 것인지 전략의 유용성을 세부적으로 파악하고 전략의 특정 단계들을 개관하는 활동이 학습자의 인지전략을 촉진할 수 있다. 또한 전략의 시점이나 모델링, 전략이 적용되는 예와 적용되지 않는 예의 제시, 전략을 필요로 하는 상황의 난이도를 조절하며 다양한 상황에 걸쳐 전략을 적용하는 연습, 교정적 피드백의 제공, 적절한 맥락으로 전략을 전이할 수 있게 하는 명시적 장려 등이 인지전략 학습을 촉진하는 활동이라 할 수 있다.

7. 태도

1) 태도목표

태도목표는 태도를 변화시키거나 새롭게 형성시키고자 하는 약물교육, 성교육, 건강교육과 공동의 목표나 민주적 가치와 과정을 달성하기 위해 협력하는 것과 같은 사회적 목표들을 지향하는 비공식적 교육과정에서 쉽게 찾아볼 수 있다.

일반적으로 접하고 있는 인지적 목표나 운동기능 목표 역시 어떤 것이든 정의적 요소를 포함하고 있다. 따라서 학교에서 이루어지는 학습뿐만 아니라 고등교육이나 훈련 환경에서의 많은 목표에 태도가 포함되어 있다.

교수설계에서는 이들 영역들을 완전한 별개의 것으로 보기보다는 서로를 통합하려는 노력을 기울여야 한다. 또한 태도학습을 정의적 학습이 가진 다차원적 성격을 반영하는 것으로 보는 것이 바람직하다.

2) 태도학습의 특징

태도의 기본적인 아이디어는 무엇인가 하려고 선택하는 것이라고 할 수 있다. 이같이 무엇인가 하려고 선택하는 태도를 학습하는 것과 이것의 형성을 다룬 심리학적 이론으로는 Yale Communication과 태도변화 프로그램, 페스팅커(Festinger)의 인지적 부조화 이론, 인지적 균형(Balancing)이론, 사회적 판단 이론, 사회적 학습 이론을 들 수 있다.

- Yale Communication과 태도변화 프로그램: 강화에 기반을 두고 신념과 의견의 인지적 요소를 다루어야 한다는 것을 강조하는 접근법이다.
- 페스팅거의 인지적 부조화 이론: 부조화된 인지적 요소, 즉 인지적 불일치에서 생겨나 긴장과 부조화를 감소시키려는 욕구를 강조하는 접근법이다.
- 인지적 균형: 균형과 조절에 중점을 둔 인지적 부조화 이론과 유사하지만 인지적 균형은 정의적 요소와 인지적 요소를 모두 활용하는 접근법이다.
- 사회적 판단 이론: 커뮤니케이션이 제공하는 경쟁적 가치에 맞서 자신의 입장과 가치를 판단하는 데 사용하는 주관적 수용 가능성 참조 척도라는 판단과정을 통해 태도가 어떻게 변화하는지를 기술하는 접근법이다.
- 사회적 학습 이론: 직접 경험과 대리적 경험, 읽기나 듣기를 통해서 얻는 경험 등을 감정적으로 연결하여 학습함으로써 이루어지는 태도 변화를 기술하는 접근법이다.

3) 태도학습의 구성요소

태도학습을 구성하는 요소는 인지적 구성요소, 행동적 구성요소, 정의적 구성요소이다.

예를 들어, 학습자가 '안전운전을 위한 태도의 습득'이라는 태도목표를 성취하기 위해서는 정의적 구성요소인 안전하게 운전해야 하는 이유를 알고, 인지적 구성요소인 안전운전을 하는 방법을 알아야 하며, 행동적 구성요소인 안전하게 운전하고 그에 관한 피드백을 받아야 한다.

이렇게 세 가지 요소로 구성된 태도학습이 실패했을 경우, 일반적으로는 정의적 구성요소에 서 그 원인을 찾을 수 있으나 우선 고려되고 교정되어야 할 것은 인지적 구성요소 측면에서의 결함이다. 예를 들어, 좋지 않은 학습습관을 가지고 있는 학습자가 있을 경우, 학습자가 학습하고자 하는 욕구가 없는 것이 태도학습 실패의 원인이라 생각할 수 있으나 학습자가 학습하는 방법을 모르는, 즉 인지적 구성요소 측면에 실패원인이 있을 수 있기 때문이다.

4) 정의적 영역의 교육목표 분류

정의적 영역의 교육목표 분류로는 크래스월(Krathwohl)의 분류법이 있다. 이는 태도를 포함하여 정의적 학습 결과를 상세하게 묘사할 수 있다는 장점이 있다.

크래스월의 분류법에 따르면 정의적 영역의 교육목표는 ① 주의집중하기(Attending), ② 반응하기(Responding), ③ 가치화(Valuing), ④ 조직화, ⑤ 성격화(가치의 내면화)로 구성된다.

주의집중하기

주의집중하기에는 지각, 자발적 수용, 선택적 주의집중이 있다. 어떤 교수상황에서든 언제나 학습의 시발점이 되는 주의집중하기는 교수의 실제적 목표로 기대하기는 어렵지만 학습을 위해 갖추어져야 하는 선수조건이라 할 수 있다.

예) • 목표: 고전음악을 싫어하는 은미를 고전음악에 대해, 적어도 긍정적 태도를 가진 사람으로 변화시킨다.

→ 이러한 목표에 근거하여 은미가 고전음악을 알게 되는 것(지각), 실제로 그 음악을 들으려고 하는 것(자발적 수용), 음악의 일부에 주의를 기울일 수 있는 것(선택적 주의집중)이 주의집중하기에 해당되는 변화이다.

반응하기

반응하기는 학습자의 소극적 반응, 자발적 반응, 반응의 만족감을 포함한다.

예) • 반응하기는 은미가 고전음악에 대해 소극적 반응을 보이는 것부터 자발적으로 반응하는 것을 의미하며, 나아가 만족감을 얼굴 표정이나 신체 움직임과 같은 미묘한 반응의 증거로 관찰할 수 있는 것을 의미한다.

가치화

가치화는 가치의 인정과 선호, 헌신 등을 의미한다. 학교와 훈련에서 많은 정의적 목표가 바로 이 가치화 범주에 포함된다.

예) • 은미가 고전음악을 즐기게 된 것은 가치화된 것이라고 볼 수 있다.

• "고전음악의 좋은 점이 있는가?"라는 질문에 대해 은미가 "네" 또는 "아니오"라고 반응하던 것에서 "네, 그렇게 생각해요"라는 반응으로 바뀌고(가치의 인정), 나아가 고전음악을 방송하는 채널에는 어떤 것이 있는지 알고자 하게 되고(가치의 선호), 고전음악에 시간이나 돈을 쓰는 것을 선택하는 것(가치에 대한 헌신)으로 변화하는 것이 바로 가치화라 할 수 있다.

조직화

조직화는 가치의 개념화, 가치체계의 조직화로 일반적으로 학교나 훈련 상황에서 애초에 목적으로 했던 것을 넘어선 것을 의미한다.

예) • 은미가 고전음악을 진정으로 신봉하는 사람이 되고(가치의 개념화), 고전음악 이외의 다른 가치들과 연결지어 이전에 비해 높은 수준의 문학작품을 읽고, 윤리학과 철학 토론집단에 참여하게 되고, 정치에 대한 견해도 변하는 수준으로 변화하는 것(가치체계의 조직화)이 조직화의 예라 할 수 있다.

성격화(가치의 내면화)

성격화는 일반화, 즉 가치의 내면화라 할 수 있다. 이는 학습자가 실제적 역할 모델이 될 수 있는 수준에 이르렀음을 판단할 수 있는 기준이 된다.

예) • 은미에게서 고전음악을 사랑하는 사람의 특징을 찾아볼 수 있고(일반화), 나아가 다른 이들에게까지 실제적 역할모델이 되는 것(내면화)을 성격화라 할 수 있다.

8. 운동기능

1) 운동기능의 정의와 범주화

가네(Gagné, 1985)는 운동기능을 유연성과 정확한 타이밍을 특징으로 하는 조정된 근육동작에 관한 과제로 보았다. 운동기능은 신체활동을 포함하며 모든 운동기능에는 인지적 측면이 있기 때문에 이를 강조하여 '운동(Motor)'보다는 '운동기능(Psychomotor)'이라는 용어를 사용한다.

불연속적인 운동기능과 연속적인 운동기능

운동기능에는 불연속적인 것과 연속적인 것이 있다.

불연속적인 기능은 과제에 따라 결정되는 시작과 끝이 분명하게 있는 기능을 뜻한다. 이 기능은 명확한 시작과 끝을 기점으로 몇 개의 단계로 구성된다. 못 박기, 문을 열기 위해 열쇠 사용하기 등이 불연속적인 기능의 예이다.

연속적인 기능은 시작과 끝이 미묘하여 명확하게 나타나지 않는 기능으로 시작과 끝은 수행자에 따라 결정된다. 농구 드리블하기, 수영하기 등이 연속적인 기능에 해당된다.

한편 계열적 기능이 있는데, 이것은 불연속적 기능의 하위 범주로 주요 기능을 형성하는 일련의 하위 기능들을 모아놓은 것이다. 예를 들어, 문자들을 모아 단어 만들기, 자동차 주차하기, 바이올린 연주하기 등이 있다.

폐쇄적인 운동기능과 개방적인 운동기능

운동기능에는 폐쇄적인 기능과 개방적인 기능이 있다.

폐쇄적인 기능은 환경의 적극적인 영향을 받지 않고 수행할 수 있는 기능으로 볼링이나 골프 등을 예로 들 수 있다.

개방적인 기능은 환경이 기능을 수행하는 사람으로 하여금 연속적으로 적응하는 것을 요구하는 것이다. 농구나 하키 경기 등에서 상대팀 선수들과 지속적으로 상호작용하는 것을 개방적인 기능의 예로 들 수 있다.

수행자와 객체의 움직임에 따른 운동기능

수행자와 객체의 움직임에 따른 운동기능도 있다. 수행자와 객체를 중심으로 그들이 정지해 있을 때와 움직일 때의 운동기능의 예를 정리하면 다음과 같다.

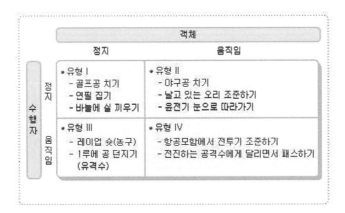

2) 운동기능의 주요 요소

운동기능을 구성하는 주요 요소로는 집중연습과 분산연습, 전체연습과 부분연습, 피드백을 들 수 있다.

집중연습과 분산연습

집중연습은 학습자가 거의 쉬지 않고 한 번 혹은 몇 번이고 집중적인 연습에 참여하여 연합적인 학습에 기여하는 것이다.

분산연습은 한 번에 짧은 시간 연습을 하며, 이 같은 형태를 오랜 시간에 걸쳐하는 연습형태로 이는 인지처리과정을 촉진할 수 있다.

이 같은 연습은 학습자의 특징과 학습해야 하는 기능의 유형을 고려하여 연습시간을 배분하고 상호작용할 수 있도록 해야 한다. 연습시간 배분에 영향을주는 요소는 다음과 같다.

	보다 짧게, 보다 자주	보다 길고, 보다 덜 빈번하게
과제	• 간단하고 반복적이고 지겨운 것 • 대단한 집중을 요구하는 것 • 피곤한 것 • 세부적인 것에 세밀하게 관심을 　가져야 하는 것	• 복잡한 것 • 많은 요소를 가지는 것 • 워밍업을 필요로 하는 것 • 수행자가 처음 하는 것
학습자	• 어리거나 미성숙(활동을 　지속할 수 없는 경우) • 집중시간이 짧은 경우 • 집중능력이 부족할 경우 • 쉽게 피곤해 함	• 나이가 많거나 보다 성숙 • 오랜 기간 집중할 수 있는 경우 • 집중능력이 있는 경우 • 쉽게 피곤해 하지 않음

전체연습과 부분연습

전체연습은 학습해야 할 운동기능을 전체적으로 연습하는 것이고, 부분연습은
각 운동기능의 별개 부분을 각각 완전하게 습득하여 전체로 통합하는 것이다.
　이러한 연습을 위해 기능을 나눌 때 고려해야 할 요소는 다음과 같다.

	전체 강조	부분 강조
과제	• 서로 의존하는 (통합된) 부분들을 　가짐 • 간단함 • 부분적으로는 의미가 없음 • 동시적으로 수행되는 부분들로 　이루어짐	• 대단히 개인적인 부분을 가짐 • 매우 복잡함 • 개별적인 기능들로 이루어짐 • 부분이나 다른 부분들에 대한 　제한된 작업이 요구됨
학습자	• 긴 계열을 기억할 수 있음 • 주의집중을 길게 할 수 있음 • 대단히 노련함	• 기억의 폭이 제한되어 있음 • 긴 시간 동안 집중할 수 없음 • 특정한 부분에서 어려움을 가짐 • 전체적인 방법으로 성공할 수 없음

피드백

피드백은 학습 초기 단계에 도움을 주는 반응결과의 원인이나 과정에 관한 피
드백과 결과에 대한 피드백, 즉 반응결과의 질에 관한 피드백이 있다.

외부에서 제공되는 피드백이 언제나 필요하고 도움이 되는 것은 아니지만 제공되는 피드백이 얼마나 상세한지의 여부는 학습자의 학습에 의미 있는 영향을 미칠 수 있다.

제 **3** 부

／

영유아교육의 적용

매체선정 및 교육운영 관리전략

학습목표
- 학습자, 학습과제, 학습맥락을 고려하여 적절한 매체를 선정할 수 있다.
- 학습자, 학습과제, 학습맥락이 주어질 때 적절한 집단구성 전략을 선정할 수 있다.
- 교수관리 전략을 설명할 수 있다.

1. 교육운영 전략

1) 매체의 선정

교수–학습에 활용하는 적절한 매체를 결정하고 집단을 구성하는 전략을 교육운영 전략이라고 한다. 여기서 매체는 메시지가 담길 물리적 수준이다.

교수설계자는 교육을 운영하는 데 사용할 매체를 사전에 결정하기보다는 요구분석 이후에 이루어지는 교수전략 개발 시점에서 학습자, 학습과제, 학습맥락을 파악하고 이를 근거로 효과적으로 활용될 수 있는 매체를 선정해야 한다.

그러나 매체에 관한 결정이 너무 초기에 이루어질 경우 매체 자체를 사용하기 위한 교수설계가 되어 버릴 수 있다는 우려가 있으므로 교수설계자는 이 점에 유의해야 한다.

만약 통합매체를 사용하는 경우 동시적 프로토타이핑(Rapid Prototyping) 기법을 활용한다면, 매체선정은 일찍 이루어져야 한다. 이때 설계자는 매우 정교하고 인상적인 첨단매체 중 최적의 것을 선택하여 비용 측면에서 생길 수 있는 실수를 미연에 방지해야 한다. 또한 어떤 하나의 매체가 모든 것을 제공할 수는 없다는 점을 인식하여 매체를 선정해야 한다.

교육운영 전략의 예:

도입: 대집단 수업에서 비디오테이프 사용

전개: 개별학습 방식으로 WBI 활용

정리: 강의형태의 대집단 활동에 인쇄물 사용

2) 매체선정 시 고려해야 할 요소

매체를 선정할 때에는 학습과제와 학습을 촉진시키는 교수조건과 학습자의 특성, 매체의 적절성에 영향을 주는 학습맥락과 그외 실제적인 문제, 매체의 특성을 고려해야 한다. 각각의 요소를 자세히 살펴보면 다음과 같다.

학습과제와 학습을 촉진시키는 교수조건

교수설계자가 어떤 속성을 가진 매체가 필요한지 결정하고자 할 때, 다섯 가지 유형의 학습목표가 요구하는 조건을 근거로 할 수 있다.

예를 들어, 학습목표가 '운동기능에 대한 자극을 제시하는 교수활동은 그 기능의 시범을 포함해야 한다'고 제시되었을 경우, 이를 위해서는 매체가 움직임을 보여 줄 수 있어야 한다는 요구조건이 도출된다. 그리고 이에 따라 필름, 비디오, 상호작용 멀티미디어, 교사와 같은 움직임을 보여 줄 수 있는 매체가 선택되어야 한다.

학습자 특성

학습자 특성은 매체속성과 분명하게 조화를 이루어야 하기 때문에 매체선정에 있어서 신중하게 고려되어야 할 요소라 할 수 있다.

예를 들어, 시각적 상징을 읽고 듣고 해독하고, 추상적 상징을 이해하는 학습자 능력에 관한 지식을 학습시키고자 한다면, 학습자가 학습내용을 이해할 수 있는 형식으로 상징을 제시할 수 있는 것이 어떤 매체인지 결정해야 한다.

이 밖에도 매체에 대한 학습자의 친숙한 정도도 매체선택에 영향을 줄 수 있다.

매체의 적절성에 영향을 주는 학습맥락과 그외 실제적인 문제

매체를 선정하는 데 있어서 매체의 적절성에 영향을 줄 수 있는 학습맥락과 그외 실제적인 문제를 고려하지 않을 수 없다. 구체적으로는 학습에 필요한 장비를 충분히 사용할 수 있는 지 여부, 사용할 교실 환경과 설비, 학습이 이루어질 장소, 스케줄, 재정 등이 있다.

예를 들어, 개별화 교수를 위해 조직된 수업환경에서는 학습자가 개별적으로 학습하는 환경을 지원할 수 있는 CBI, WBI, 비디오 등이 효율적으로 활용될 수 있다.

매체속성

각기 다른 매체가 지닌 속성은 매체 고유의 것으로 앞서 제시한 세 가지 요소들에 비추어 적절한 매체인지 여부를 판단해야 한다. 즉 컴퓨터, 인쇄물, 비디오, 상호작용적 멀티미디어, 슬라이드, 원격교육, 사람 등은 각기 다른 속성을 지니고 있으므로 이들을 고려한 매체선택은 교수-학습을 보다 효과적으로 이끌 수 있다.

"매체에 대한 연구들은 그 어떤 매체도 학습과제, 학습자 특성, 상징요소, 교육과정, 혹은 세팅과 무관하게 다른 매체보다 학습을 더 많이 증진시키는 것은 아니라는 것을 아주 분명하게 보여 주었다."

(Clark & Salomon, 1986)

2. 집단구성 전략

1) 집단구성의 유형

선정한 매체를 가지고 교수–학습을 전개하기 위해서는 하고자 하는 수업에 적합한 형태로 학습자 집단을 구성해야 한다. 학습자 집단구성의 유형은 크게 튜터링, 개별화 교수, 집단학습으로 나눌 수 있다.

튜터링은 개별학습자와 인간 튜터의 교수–학습으로 이루어진다. 이러한 집단구성 방식은 튜터에 의한 면밀한 관찰, 교정, 재시범을 통한 학습자의 연습을 강조하여 시범능력과 더불어 피드백과 관찰이 필요할 때 효과적이다.

개별화 교수는 학습자 혼자 학습자료를 가지고 학습하는 것으로 학습자의 특성과 요구에 따라 이루어질 수 있다. 최근에는 학습자의 통제권과 적응적 교수 형태의 경향을 보이고 있다.

집단학습에는 상호작용적 소집단 학습과 강의가 있다. 상호작용적 소집단의 형성 목적은 동기로, 이러한 집단구성에서는 집단 결속성을 형성하는 것이 중요하다. 이 경우, 학습자는 근접 발달 영역 내에 있는 다른 학습자에게 자신의 관점을 제시하고, 다른 학습자의 관점에 주의를 기울이며 토론하고 주장을 펼치는 것과 같은 협력적 활동에 참여할 수 있으며, 이 같은 과정은 학습자의 학습에 의미 있는 영향을 미친다. 특히 인지적 정교화, 즉 정교화 연습을 제공하는 여러 인지전략이 촉진되고 지원받을 수 있다.

강의는 중간 또는 대집단 단위로 이루어지며 학교나 훈련기관에서 가장 보편적으로 활용되는 방법 중 하나이다.

2) 집단구성 시 고려사항

집단구성에서 고려해야 할 사항으로는 학습과제, 집단구성 시 의사결정의 기초가 될 수 있는 학습과제와 관련된 질문, 학습자 특성, 맥락요소, 매체선정 요소, 조직적 전략이 있다.

학습과제

무엇을 학습하는지에 대한 학습과제는 집단구성에서 고려되어야 할 중요한 요소이다.

　학습과제가 사실인 사실학습의 경우에는 집단 학습도나 개별적 학습을 통해서도 효율적인 학습이 이루어질 수 있다. 로미조프스크(Romiszowski, 1981)는 사실적인 자료를 학습하고 있다면 집단학습이 거의 필요 없다고 밝힌 바 있다.

　탐구를 통해 발견하는 원리나 사회적 원리가 학습과제인 경우에는 집단학습이 적절하다. 학습과제인 원리를 학습할 때, 집단으로 학습하며 학습자는 분석적인 대화를 할 수 있고, 그것을 적용하는 기회 또한 가질 수 있어 도움이 되기 때문이다.

　집단구성의 선정은 매체선정 결정과 상호작용하며 매체선정 결정은 학습과제 요소에 근거하여 이루어지기 때문에 중요하게 고려되어야 한다. 교과목이 자연스럽게 집단을 형성하도록 할 수도 있다. 예를 들어, 프로그래밍이나 컴퓨터 사용과 관련된 학습에서 학습자를 개별적으로 학습하게 하거나 컴퓨터를 사용하여 2인 1조의 집단형성이 이루어질 수 있다.

집단구성 시 의사결정의 기초가 될 수 있는 학습과제와 관련된 질문(Gerlanch와 Ely)

집단구성 시 의사결정의 기초가 될 수 있는 학습과제와 관련된 질문 역시 집단구성을 위해 고려되어야 할 요소이다. 질문의 구체적인 예를 살펴보면 다음과 같다.

- 학습자 스스로 달성할 수 있는 학습목표는 무엇인가?
- 학습자의 상호작용을 통해 달성될 수 있는 목표는 무엇인가?
- 교사와 학습자의 상호작용, 교사의 프레젠테이션을 통해 달성될 수 있는 목표는 무엇인가?

학습자 특성

집단구성을 결정하는 데 영향을 미치는 가장 중요한 학습자 특성은 바로 통제의 소재이다. 통제의 소재는 내적 통제소재와 외적 통제소재로 나눌 수 있다. 내적 통제소재를 가진 학습자의 경우 성공과 실패의 원인을 내부요인으로 파악하며 개별화된 조건하에서 수행을 가장 잘 하는 특성을 지닌다. 외적 통제소재를 가진 학습자는 성공과 실패의 원인을 외부요인으로 돌리며, 이들은 집단을 기반으로 했을 때 더 나은 수행을 할 수 있다는 특징이 있다.

또한 학습자의 사전지식과 능력수준에서의 차이도 집단구성을 결정하는 데 영향을 줄 수 있다. 특히 개별화된 집단구성은 학습자들 간의 지식과 능력의 차이가 클 때 사용할 수 있는 가장 효율적이고 효과적인 방식이며, 협력적 학습집단에는 수준 높은 능력을 갖춘 학습자와 상대적으로 낮은 능력의 학습자가 함께 완수해야 하는 학습과제가 주어지게 된다.

이 밖에도 학습자의 지각, 경험, 능력, 선호도 역시 집단구성 시 고려되어야 할 요소이다. 이 중 집단구성에 대한 학습자의 선호도는 동기유발과 흥미유지를 위해 가능하면 언제나 고려하는 것이 좋지만 우선적으로 고려해야 할 사항은 아니다.

맥락요소

맥락요소 역시 집단구성 시 고려되어야 할 요소로 특히 학습상황에서 사용할 수 있는 설비, 장치, 산출능력 등은 학습을 위해 어떤 집단구성 전략을 활용할지에 지대한 영향을 미칠 수 있다.

특히 개별적 또는 집단적 방법이 모두 가능한 학습과제가 주어질 경우 맥락 변인은 집단구성에 결정적 요소로 작용할 수 있다. 맥락변인으로는 학습공간의 활용 가능성, 교수용 하드웨어와 소프트웨어, 매체생산 자원 등을 들 수 있다.

교사의 선호도와 능력 역시 맥락요소로 학습을 위한 집단을 구성하는 데 결정적 영향을 미치기도 한다. 세부적으로 교사훈련 자원, 보조물, 관리장치 등과 같이 맥락을 구성하는 요소들은 이러한 선호범위를 넓힐 수 있다.

매체선정 요소

학습에 활용되는 매체의 선정과 집단구성 방식은 서로 긴밀한 관계가 있다. 예를 들어 컴퓨터 기반 학습을 위한 전략의 선정은 개별화 전략을 함의하고 있기 때문이다.

또한 집단구성 전략은 매체를 선정하는 데 영향을 줄 수 있다. 경제적 이유로 대집단 교수를 하기로 결정했다면, 학습에 어떤 매체가 활용될지에 대해서도 역시 결정한 것과 다름없기 때문이다.

조직적 전략

조직적 전략을 결정하는 것 역시 집단구성 방식을 결정하는 것과 높은 상관관계가 있다. 예를 들어, 학습에 활용되는 조직전략이 설명적인 것이라면 개별화된 접근만을 선택하지 않아도 된다. 그러나 만약 전략이 탐구와 관련된 것이라면 탐색과 토의, 적용을 활용해야 하기 때문에 소집단으로 협력학습을 해야 한다.

집단구성을 결정하는 것은 학습에 주어진 시간과 활용될 공간, 매체, 교육운영 방법 등과의 상호작용하에 이루어진다. 최선의 집단구성 전략은 이와 같은 많은 요소에 좌우되며 특히 활동과 교수에 따라 달라질 수 있다.

3. 교수관리 전략

교수관리 전략은 교육운영 전략을 조직적으로 조정하고 안내하는 전략이다. 뿐만 아니라 교수활동 스케줄과 이러한 일련의 활동들을 운영하는 전략이기도 하다. 교수관리 전략에 대한 자세한 사항은 다음과 같다.

첫째, 교수관리 전략은 여러 교육운영 시스템을 조정하는 역할을 한다. 다양한 교수시스템에 내재된 스케줄 정보와 평가정보 등을 해석할 수 있는 단위로 환원하고 조직하며, 적절한 시기에 적절한 사람에게 정보를 제공하는 수단을 고안한다. 또한 학습자가 요구하는 교수자원을 제공하는 기법을 포함한다.

둘째, 미시적 수준에서 관리를 결정하는 것은 교육운영자, 훈련자, 촉진자, 그리고 때에 따라서는 컴퓨터에 의해 이루어질 수 있으며, 교수에 관한 중요한 정보를 제공할 수 있는 지침서를 개발한다.

셋째, 개별화 교수 프로그램의 경우, 통합관리를 위해 거시적 수준에서의 교수관리 시스템이 필요하다.

학습유형 통합

학습목표　　－ 거시적 수준의 전략과 미시적 수준의 전략을 구별할 수 있다.
　　　　　　　－ 교육과정의 계열화 구조의 다섯 가지 주요 범주에 대해 설명할 수 있다.
　　　　　　　－ 교육과정의 조직유형을 구분할 수 있다.

1. 교육과정 계열구조

1) 교육과정 계열화 구조의 범주

교육과정을 설계하는 것은 거시적 수준에서 이루어지기 때문에 범위와 조직, 내용 순서에 관한 의사결정과 연관성이 있다. 따라서 교육과정 설계 시에는 가르치는 방법보다 가르쳐야 할 내용에 더 많은 관심을 기울여야 한다.

　일반적으로 교육과정 설계에서는 내용을 중심으로 교육과정을 조직하고 순서를 정한다. 그러나 내용이 아닌 목표를 기준으로 교육과정을 조직하는 방법도 사용할 수 있다.

세상과 관련된 구조

세상과 관련된 구조는 시간과 공간, 물리적 특성에 따라 교육과정이 분류되고 계열화되는 것이다.

시간을 기준으로 한 예:

음악사교육에서 인류 최초의 음악부터 현대의 음악을 시대순으로 조직하는 것

공간을 기준으로 한 예:

지리시간에 대륙을 기준으로 분류하여 각 나라의 지리를 가르치는 것

물리적 특성을 기준으로 한 예:

생물시간에 가장 단순한 세포부터 점차 복잡한 유기체의 순으로 조직화하는 것

탐구와 관련된 구조

탐구와 관련된 구조는 비슷한 탐구상황의 아이디어들을 함께 가르칠 수 있도록 계열화하는 것이다.

예 1:

특정 분야에 전문성을 가지고 있는 과학자들이 추구하는 탐구 단계를 따라 계열화하고 조직화하는 것

예 2:

질문형성, 문헌검토, 가설진술, 연구설계, 자료수집, 자료분석, 결론도출의 순서로 계열화하는 것

활용성과 관련된 구조

활용성과 관련된 구조는 개인적, 사회적, 직업적으로 어떤 기능들이 미래에 어

떻게 사용될 것인가에 대한 아이디어를 묶는 것이다. 이 같은 구조를 활용할 경우 개념, 사실, 절차, 이론을 분류하고 가르칠 수 있다.

예 1:

가장 많이 사용하는 지식을 먼저 학습하고, 더 전문적이고 덜 사용하는 지식은 나중에 학습할 수 있도록 계열화하는 것

학습과 관련된 구조

학습과 관련된 구조는 현재 수행하는 학습이 새로운 학습과 관련된 사전지식에 얼마나 의존하고 있는가에 따라 정보를 조직하는 것이다. 이처럼 선수조건에 근거한 구조는 교수설계 분야에서 흔히 활용되고 있는 거시적 조직전략이다.

예 1:

컴퓨터 프로그래밍 코스에서 명령어에 대한 지식과 명령어의 사용, 실제, 프로그램의 순서로 계열화하는 것

개념과 관련된 구조

내용을 조직하기 위해 학문의 구조를 이용하여 계열화할 수 있다. 개념과 관련된 구조는 회상 위의 모든 것을 포괄하는 개념이나 원리를 먼저 가르치고, 세부적으로 특정한 사례나 원리의 적용은 나중에 가르치도록 하는 것이다.

선수조건에 근거한 구조에서는 선수조건 간의 선수조건과 해당 코스가 설정한 목표의 관련성을 파악하기 어렵지만, 개념관련 구조에서는 결과적인 학습에서 아이디어들이 보다 명확하게 관련성을 가지고 통합될 수 있다는 장점이 있다.

예 1:

브루너(Bruner)의 나선형 교육과정을 근거로 개발된 과학 프로그램으로, 일반적인 과학 수업에서 원자를 가르치기 전에 물질의 속성을 가르치는 것. 또는 전기를 가르치기 전에 원자를 가르치는 것

(Posner & Strike, 1976; Posner & Rudnitsky, 1994)

2) 라이겔루스(Reigeluth)의 정교화 이론

라이겔루스의 정교화 이론은 개념과 관련된 구조와 선수조건에 기반을 둔 거시적 전략의 긍정적 측면을 이용하고 각각의 단점을 줄이는 조직유형으로 구성된 이론이다. 이는 개념, 원리, 절차의 목표 중 하나에 따라 전체 코스를 조직하도록 하고 있다.

라이겔루스의 정교화 이론에 따르면 우선 학습자가 결과와 내용구조를 파악하고, 가장 포괄적이고 기본적인 개념, 원리 또는 절차(정수)를 파악하도록 한다. 절차를 학습한 후, 적용적 수준에서 연습을 하면 더 자세한 수업내용으로 학습내용의 정교화가 이루어진다고 보는 것이 바로 라이겔루스의 정교화 이론이다.

① 개념과 관련된 구조와 선수 조건에 기반을 둔 두 가지 거시적 전략에서 긍정적인 측면을 이용하고, 각각의 단점을 줄이는 조직 유형

② 개념, 원리, 절차의 세 가지 주요 목표 중 하나에 따라서 전체 코스를 조작하도록 함.

③ 결과와 내용구조를 파악하고 나서 가장 포괄적인 기본적인 개념, 원리 혹은 절차(점수)를 파악하여 이 점수를 적응 수준에서 가장 먼저 가르침.

④ 점수를 가르치고 적용 수준에서 연습을 하고 나면 보다 자세한 수업으로서 내용의 정교화가 이루어짐.

(Posner & Strike, 1976; Posner & Rudnitsky, 1994)

2. 통합적 교육과정의 도구와 개념

거시적 관점에서 교육과정을 설계하는 교수설계자들은 범위와 계열, 객체지향, 분절이라는 통합적 교육과정 도구와 개념에 대해 숙지해야 한다.

범위와 계열

범위와 계열은 교과중심이나 경험중심, 구성주의와 같은 학습에 대한 접근과는 별개로 교육과정을 설계하기 위한 기본 도구이다.

　교육과정의 범위는 일반적으로 수평축의 형태를 띠며 한 가지 이상의 주제나 경험으로 구성되고, 계열은 각 주체에 대해 계획된 것으로 일반적으로 수직축의 형태로 전개된다.

객체지향 교육과정

객체지향 교육과정은 교수모듈과 유사한 개념으로, 여기서 교육의 객체는 독립성, 재구성 가능성, 보다 상위 개념의 객체에 포함 가능성, 재배열 가능성의 특징을 가진다. 뿐만 아니라 교육운영자 지침서, 유인물, 학습자 안내서, 프레젠테이션 자료, 평가자료, 교수시스템의 구성요소들도 교육적 객체로 볼 수 있다.

분절

분절은 학습내용이 교육과정이나 학습코스와 어떻게 연관되는가에 관한 사항이다.

　수직적 분절은 개념에서 규칙으로 그리고 문제해결로 연결되는 것과 같은 교육과정을 설계하여 수직적 전이가 일어나 지식을 획득하고 경험이 증가하는 것을 지향한다. 수평적 전이는 한 영역이나 상황에서 규칙을 적용한 것을 다른 영역에도 적용하기 위해 일반화하는 것을 의미한다.

이 같은 분절에 근거하여 설계된 교육과정 조직유형은 다음과 같다.

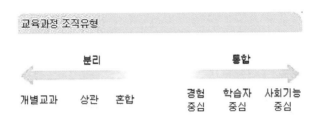

분리된 교육과정 조직유형 중 개별 교과는 교과별 교육과정을 조직한 것으로 가장 광범위하게 활용되고 있다. 상관적 교육과정은 둘 이상의 교과목을 동시에 가르치는 교육과정이고, 혼합 교육과정은 둘 이상의 교과목을 하나의 코스 또는 다른 패키지 단원으로 결합한 교육과정이다.

한편, 통합 교육과정은 내용에 기반을 둔 구조가 아니라 경험중심, 학습자 중심, 사회기능 중심으로 조직된 교육과정 조직유형이다.

3. 교육과정 설계의 대안적 관점

교육과정을 조직하는 전통적 관점은 내용이나 주제의 순서를 만드는 것이다. 그러나 내용중심 교육과정의 관점은 교과목에 중심을 두고 있어 교육과정을 통해 획득되는 학습자의 경험에 대해서는 고려하지 않고 있다.

이러한 기존의 전통적 관점에 대한 대안적 관점으로 교육과정 설계의 통합적 관점이 대두되었다. 이는 교육과정을 '학교가 책임지는 학생의 모든 경험'으로 보는 광범위한 경험중심 교육과정으로, 경험중심, 학습자 중심, 사회기능 중심과 같은 통합된 교육과정을 설계하는 데 적용될 수 있다.

- 경험중심: 교육과정에 반영되어야 한다고 규정한 특정한 형식이나 주제는 없으나 학습목표를 달성하기 위해 수행되는 경험에 초점을 둔 중간적 통합양식
- 학습자 중심: 학습자의 관심과 학습에 대한 교사의 기대에 근거하여 학습자에게 학습수단을 제공하는 것
- 사회기능 중심: 일상적인 생활 상황, 대화, 생산과 소비, 교통과 통신 등의 사회적 기능을 중심으로 교유과정을 구조화하는 것

이러한 교육과정은 설계자가 어떠한 관점을 가지고 있는지에 따라 크게 달라질 수 있다. 예를 들어, 학습자 경험에 중점을 둔 설계자가 교육과정을 설계한다면 설계 초기부터 학습의도가 무엇이고, 어떤 종류의 경험이 학습을 가장 잘 일어나게 할 것인지에 대한 교수전략을 강조하게 된다. 만약 설계자가 초기부터 학습내용에 중점을 둔다면 그 설계과정의 주요 결정은 내용을 중심으로 이루어지게 된다.

4. 교육과정 설계를 위한 처방

교육과정을 조직할 때에는 학습이 일어나는 맥락과 학습자, 학습목표, 교육과정의 의도를 일차적으로 고려해야 한다. 따라서 교육과정은 이러한 일차적 고려 요소의 특징을 통합하여 조직하는 것이 바람직하다.

다른 모든 조건들이 동일하다는 전제하에, 교육과정 조직을 결정할 때 고려해야 할 사항은 다음과 같다.

우선 통합된 교육과정을 시행할 때에는 좀 더 많은 시간과 자원, 전문적인 교육설계가 요구된다. 또한 어린 학습자의 경우 성숙한 학습자보다 통합된 교육과정을 필요로 하며, 통합된 교육과정은 더 낮은 내적 동기를 가진 학습자에게

유용하고, 인간의 안전에 위협적인 내용을 포함한 학습목표를 설정했을 때에는 굳이 통합된 교육과정을 적용하지 않아도 된다. 위험을 포함하는 영역에서의 훈련과 같이 경험 측면에서의 차이가 적고, 엄격하게 구조화된 교과나 주제 기반 조직은 일관성 있고 예측 가능한 훈련을 더 많이 필요로 하기 때문이다.

이 밖에도 교육이나 훈련에 대한 조직의 의도가 복잡하고 명확하지 않을수록 통합된 교육과정 조직이 필요하며, 반대로 명확한 목표를 설정한 조직일수록 통합된 교육과정이 반드시 필요한 것은 아니다.

그러나 모든 교육과정이 통합된 관점에서 조직되어야 하는 것은 아니다. 생성적인 것과 보안적인 미시전략 간의 균형의 예도 있듯이, 교육과 교육과정 조직방법에서도 그러한 균형이 고려되어야 한다.

교수 프로그램 개발과 수정

학습목표   – 인쇄물 기반 교수 프로그램, 컴퓨터 기반 멀티미디어 교수 프로그램의 개발절차를 설명
할 수 있다.
– 컴퓨터 기반 교수 프로그램의 개발에서 흐름도와 스토리보드의 역할을 설명할 수 있다.
– 개발상황을 설명하는 시나리오가 주어질 때, 그 상황에서 사용하기에 적절한 개발도구
를 파악하고 그 도구의 유용성을 설명할 수 있다.

1. 인쇄물 기반 교수 프로그램의 개발

1) 인쇄물의 특징

인쇄물에 기반한 교수 프로그램을 개발하기 위해서는 우선 인쇄물의 특징에 대
해 알아야 한다. 인쇄물은 가장 많이 사용되는 교수매체로 다른 매체에 비해 저
렴한 생산, 복사비용, 부담 없는 개발장치, 잘 알려져 있는 개발지식, 운반 및 배
포와 사용이 용이하다는 특성이 있다. 이 매체의 경우 학습자의 문식능력과 밀
접한 관련이 있기 때문에 사용하기 위해서는 학습자의 문식력을 필요로 한다.
또한 컴퓨터를 사용하여 비교적 쉽게 자료를 개발할 수 있으며, 그 내용과 의
미, 문체, 구조를 우선적으로, 편집 모양은 후에 고려하여 개발해야 한다.

2) 인쇄물의 개발

인쇄물의 개발 단계는 크게 텍스트와 그래픽요소의 초고 만들기, 텍스트와 그래픽요소의 배치, 검토와 수정, 필름제작과 인쇄로 나뉜다.

텍스트와 그래픽요소의 초고 만들기

■ 텍스트

텍스트는 학습자의 빠른 이해를 지원하기 위해 정보를 구조화해야 한다. 예를 들어, 설명, 시간순서, 비교와 대조, 인과관계, 문제와 해결, 결과와 같은 형태로 구조화할 수 있다. 텍스트를 작성할 때에는 바른 문체와 학습자에게 적절한 수준의 어휘, 간결한 문장을 사용하여 명확하게 의미를 전달할 수 있어야 한다.

학습유형에 따른 텍스트 구조는 다음과 같다.

학습 유형	구조
개념	설명
관련 개념	비교/대조
절차적 규칙	순차적 배열
관련 규칙	원인-결과
문제 해결	문제-해결, 문제-해결-결과
인지전략	순차적 배열 또는 문제 해결

■ 그래픽요소

그래픽요소는 그림과 다이어그램, 차트, 표, 그래프 등을 사용하여 정보를 조직하고 요약한다. 이를 통해 학습자의 회상과 이해를 지원하는 데 그래픽을 활용하는 데 목적이 있으며, 일반적으로 학습이나 내용에 관한 학습자의 느낌이나 태도에 영향을 미친다.

그래픽요소를 효과적으로 사용하기 위해서는 시각디자인을 고려하여 제작하는 것이 좋다. 이와 더불어 텍스트와 자연스러운 통합을 시도해야 한다.

텍스트와 그래픽요소의 배치

텍스트와 그래픽요소를 페이지상에 어떻게 배치할 것인지를 결정하는 것 역시 중요하다. 이때에는 여백과 활자체, 활자크기, 줄간격, 문단정렬, 페이지 나누기 등을 고려하여 페이지를 설계해야 한다.

컴퓨터로 설계할 경우에는 좀 더 효과적으로 텍스트와 그래픽요소를 배치할 수 있을 뿐만 아니라 쉽게 수정하고, 수정한 결과를 바로 볼 수 있다는 장점이 있다.

검토와 수정

앞선 일련의 과정을 거쳐 제작된 인쇄물을 가지고 인쇄와 복사에 들어가기 전, 텍스트와 그래픽요소의 내용을 검토하고 배치해야 한다. 특히 형성평가의 일환으로 시범적으로 인쇄물을 사용하고, 수정하는 과정을 거쳐야 한다.

필름제작과 인쇄

검토와 수정을 마치면 인쇄에 들어가기 위해 제작된 인쇄자료를 필름으로 출력하게 된다. 컬러 인쇄자료인 경우 색상이 제대로 나올 수 있는지 확인해야 하며, 색상과 인쇄의 질은 사용하는 종이에 따라 달라질 수 있으므로 종이를 선택할 때에는 비용과 더불어 용도와 인쇄의 질을 고려해야 한다.

2. 컴퓨터 기반 멀티미디어 교수 프로그램의 개발

1) 컴퓨터 기반 멀티미디어의 특징

컴퓨터 기반 멀티미디어는 현실과 유사한 풍부한 환경을 제공할 수 있고, 실제보다 위험부담을 줄인 학습환경을 제공할 수 있다는 특징이 있다. 특히 컴퓨터기반 멀티미디어 교수 프로그램의 개발에 활용되는 다중매체는 텍스트, 사운드, 그래픽, 애니메이션, 비디오를 포함하는 다양한 정보를 통합적으로 제공할수 있다. 뿐만 아니라 하이퍼링크로 웹과 결합하고 나아가 상호작용할 수 있는 환경을 제공하며, 많은 정보의 수록 및 저장이 가능하다는 특징도 있다.

2) 멀티미디어 교수 프로그램의 개발

멀티미디어 교수 프로그램의 개발 단계는 크게 흐름도 개발, 화면설계, 초안개발, 검사와 수정으로 나뉜다.

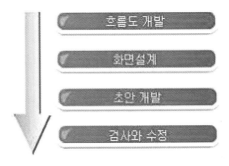

흐름도 개발

멀티미디어 교수 프로그램의 첫 단계는 흐름도를 개발하는 것이다. 흐름도를 개발하는 것은 프로그램에 들어갈 결정과 활동을 묘사하는 것으로 각 활동에서 무슨 일이 일어나는지를 분명하게 할 수 있다.

화면 설계

화면설계는 각 화면의 전개를 어떻게 할 것인지에 대한 내용과 기능을 모두 고려하여 결정하게 된다. 필요한 기능적인 요소들이 화면상에 제공되어야 함은 물론 일관성 있고 기능적이고 학습자의 흥미를 끌 수 있는 스크린 배치가 이루어져야 한다. 이를 위해 스토리보드를 작성하여 화면기획에 대한 내용을 표현할 수 있다.

초안 개발

개발하고자 하는 프로그램에 대한 자세한 개요와 최종 화면설계가 이루어지면 멀티미디어 개발을 시작하기 전에 프로토타입을 만들어 검토를 하게 되는데, 이 같은 작업을 초안 개발이라 한다.

검사와 수정

검사와 수정 단계에서는 개발한 프로그램이 제대로 실행되는지, 미처 예측하지 못한 오류가 나타나지는 않았는지를 검사하고 잘못된 검사를 수정하는 작업이 이루어진다.

　이때 행하는 검사의 종류로는 알파검사와 베타검사가 있다. 알파검사는 프로그램을 개발한 프로그래머나 개발자가 직접 검토하는 검사이고, 베타검사는 개발한 멀티미디어를 실제 학습환경에서 사용할 것으로 기대되는 사용자들이 검사하는 방법이다.

　이러한 검사를 통해 오류가 발견될 수도 있지만, 멀티미디어 개발이 모두 끝난 후, 실제로 프로그램이 사용되면서 발견되는 오류도 있으므로 이에 대한 지속적 수정이 이루어져야 한다.

3. 교육운영자 기반 교수 프로그램의 개발

1) 교수매체로서 사람의 특징

교수매체로서의 사람은 매우 상호작용적이며, 학습상황에 대처할 수 있는 융통성과 적응력이 있다는 특징이 있다. 또한 다른 매체와 달리 감정이입이 가능하며 당면한 상황에서 가장 중요한 것을 선택할 수도 있다. 그러나 다른 매체들과 같이 매번 정확하고 동일한 방식으로 반복할 수는 없다.

2) 교육운영자 기반 프로그램의 개발

교육운영자 기반 프로그램의 개발은 교육운영자를 위한 가이드 개발과 교육운영자 훈련으로 나눌 수 있다.

교육운영자를 위한 가이드는 교수하는 데 요구되는 내용을 포함해야 한다. 이를 위해 학습자의 활동과 학습을 위한 목표 맥락에 근거하여 교육운영자가 무엇을 행하고 말해야 하는지를 기술하는 문서인 학습지도안을 개발해야 한다. 학습지도안은 전반적인 교수-학습의 흐름과 계획을 보여 줄 수 있다는 특징이 있다.

교육운영자용 안내서의 내용을 살펴보면 다음과 같다.

코스 수준 안내	단원 수준 안내
코스 제목	단원 제목
코스 목적	단원 목적
대상 학습자	출석부/이름표
코스 목표	단원 목표
코스 의도	단원 의도

코스 수준 안내	단원 수준 안내
필요한 학습 공간	교수 장소
필요한 시설	필요한 시설
필요한 자료	필요한 자료
참고문헌	참고문헌
일정표 • 각 단원의 개요	단원계획 • 단원 개요 • 단원요강 및 스크립트 (학습 결과, 학습자 활동, 교육운영자 활동)
시간 배정	시간 배정

이와 더불어, 적절한 훈련이 없을 경우 준비된 자료의 질과 무관하게 교육운영자는 수업을 제대로 운영하지 못할 수도 있다. 따라서 교육운영자 훈련에서는 교수자들이 학습해야 할 중요한 내용과 교수시스템 사용법, 교수법, 교수전략 등의 내용을 다루어야 하고, 이를 통해 교수자는 학습을 촉진하는 경험을 할 수 있다. 교육운영자들을 대상으로 한 훈련에서는 실제 수업에 들어가기 전에 적어도 두 번 이상의 시범수업을 할 수 있는 기회를 포함하는 것이 좋다.

4. 개발비용과 시간

교수개발 비용을 결정하는 요인으로는 교수매체, 학습과제, 사용된 전략, 조직, 내용 등이 있다.

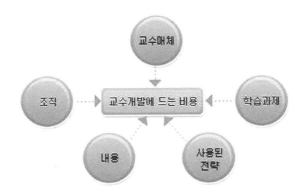

교수개발에 사용되는 시간은 교사중심이 가장 적게 소요되며 인쇄자료, 비디오, 컴퓨터 순으로 비용이 많이 소요된다.

실행 및 평가

학습목표
    – 형성평가와 총괄평가의 목적을 비교 및 대조할 수 있다.
    – 형성평가의 목적, 절차, 자료, 설계자의 역할, 참여자, 각 단계의 시기를 파악할 수 있다.
    – 총괄평가의 목적, 절차, 자료, 설계자의 역할, 참여자, 각 단계의 시기를 파악할 수 있다.

1. 형성평가의 개요

형성평가는 교수설계 과정에서 반드시 거쳐야 하는 기본 단계로 교수설계자가 프로그램을 좀 더 효과적이고 효율적으로 만들기 위한 수정을 할 수 있도록 교수 프로그램을 시범적으로 사용해 보고 그 적절성을 평가하는 것이다.

이를 위해 교수설계자는 분석 단계에서 교수 프로그램에 대한 형성평가를 계획하며 평가지표를 기록해 두어야 한다. 형성평가에서는 설계검토, 전문가 검토, 학습자 타당성, 지속적 평가의 단계가 요구된다.

형성평가가 교수설계 과정에서 꼭 이루어져야 하는 경우는 교수설계자가 초보일 때, 내용영역이 설계자에게 새로운 것일 때, 사용하려는 테크놀로지가 설계자나 설계팀에게 생소한 것일 때, 사용하고자 하는 설계전략이 설계자에게 익숙한 것이 아닐 때, 과제 수행이 중요한 것일 때, 설계기관의 책임이 클 때, 교수 프로그램이 널리, 대량으로 사용되는 경우, 후에 수정할 기회가 거의 없을 때이다.

형성평가를 실시하기 위한 계획은 학습목표, 자원과 제한점 분석, 과제분석, 학습환경 설명, 질문되어야 할 내용, 평가결과 측정방법, 평가될 교수 프로그램 부분의 파악, 각 단계에서 설명되어야 할 사항 등의 요소로 구성된다.

2. 형성평가의 단계

형성평가는 설계검토, 전문가 검토, 학습자 타당성, 지속적 평가의 단계로 이루어진다.

1) 설계검토

교육 프로그램이 실제로 개발되기 전에 학습목표, 학습자, 학습내용 분석, 과제분석 등 설계의 각 단계에서 나온 산출물은 그 적절성과 수정사항을 확인하기 위해 평가될 수 있다.

설계검토 단계에서 교수설계자들이 해야 할 질문과 질문에 답하는 방법은 다음과 같다.

Q: 교수목표는 요구분석을 통해 규명된 문제들을 만족시킬 수 있는 것들인가?
→ 목표검토를 통해 설정된 교육목표가 요구분석에서 파악된 문제들을 대표하는 것이며, 교수 프로그램 개발을 의뢰한 사람의 기대와 일치한다는 것을 확인하는 질문이다. 따라서 요구분석의 결과로 도출된 학

습목표를 의뢰인이 직접 검토하게 하여 설정된 교수목표에 대해 합의를 이끌 수 있다.

Q: 학습자와 환경분석이 정확하게 실체를 묘사하고 있는가?

→ 학습자 분석을 통해 대상학습자의 구성원을 표집, 학습자의 능력과 수준을 파악하여 확인할 수 있다. 환경분석은 학습환경에 대한 분석과정에서 교수 프로그램을 실행하게 될 실무자 또는 책임자와의 면담을 통해 확인할 수 있다.

Q: 과제분석은 학습목표를 달성하는 데 필요한 선수조건이 되는 모든 기술과 지식을 포함하고 있는가? 그리고 이러한 기술과 지식이 가지고 있는 선수조건으로서의 성격이 명확하게 드러났는가?

→ 과제분석은 다양한 기법을 통해 가능하다. 해당 학습이 목표로 하는 기술을 가진 사람과 가지고 있지 않은 사람을 검사하여 최종목표를 성취할 수 있는 학습자가 하위 목표로 나열되는 것을 모두 수행할 수 있는지에 대해 확인하는 방법도 있다. 교수설계자는 자신의 과제분석의 명확성을 검토하기 위해 다른 교수설계자와 내용전문가들에게 자문을 구할 수 있다.

Q: 검사문항과 검사청사진은 신뢰할 만하고 타당한 교수목표 측정을 할 수 있는가?

→ 내용전문가에게 검토를 받아 평가문항의 타당성에 대해 확인하고 학습목표와 문항명세서의 일치성을 평가받을 수 있다.

Q: 평가도구에서 기술된 학습성취의 준거는 학습을 성취한 학습자와 성취하
지 못한 학습자를 제대로 구분할 수 있는가?
→ 평가도구에 대한 신뢰성과 실제성은 프로그램을 개발하기 전에 목표
로 설정한 학습을 달성한 학습자와 달성하지 못한 학습자를 대상으로
평가도구를 적용하여 알아볼 수 있다.

2) 전문가 검토

학습자가 교수 프로그램을 사용하기 전에 내용전문가, 교수설계 전문가, 특정
한 내용의 교육전문가, 학습자 전문가 등 여러 전문가들이 프로그램을 검토하
는 것이 필요하다. 이러한 전문가 검토를 위해 전문가들에게 초안형식의 프로
그램을 제공하게 된다.

검토하는 전문가의 전문성에 따라 확인되어야 할 사항은 다음과 같다.

- 내용이 정확하고 최신의 것인가?
- 내용이 일관성 있는 관점을 제시하고 있는가?
- 예시나 연습문제, 피드백이 현실적으로 가능하고 정확한가?
- 교수접근은 내용영역에서 통용되고 있는 교수이론과 일치하는가?
- 교수는 목표로 선정한 학습자에게 적절한가?
- 교수전략은 교수이론 원리들과 일관성이 있는가?

이러한 전문가들의 검토의견은 각각의 전문성에 따라 선택적으로 반영되어
야 한다. 또한 전문가들의 검토사항은 바로 수정되어야 할 것, 계속되는 단계
에서 검토가 이루어져야 할 것, 무시해야 할 것으로 나누어 적용하는 것이 필요
하다.

3) 학습자 타당성

학습자가 얼마나 잘 학습할 수 있는지를 가늠하기 위한 지표를 정하기 위해 학습자를 대표하는 사람에게 시험적으로 교수 프로그램을 적용하여 학습자 타당성을 알아볼 수 있다. 그리고 이를 근거로 실제로 학습자가 교수 프로그램을 통해 얼마나 잘 학습하게 될지, 학습과정에서 생길 수 있는 문제의 종류가 무엇인지 등을 확인할 수 있다.

일대일 평가

일대일 평가는 교수설계자가 목표로 하는 둘 또는 셋 정도의 대상자들에게 교수 프로그램을 시험적으로 적용해 보는 것으로, 설계된 프로그램에 큰 문제가 있는지 확인하고 수정하는 데 그 목적이 있다. 일대일 평가를 통해 인쇄상의 오류, 명확하지 않은 문장, 잘못되었거나 누락된 지시사항, 부적절한 예, 생경한 어휘, 삽화의 적절성 여부 등을 찾게 된다. 교수설계자는 한 번에 한 명의 학습자와 초안형식의 교수 프로그램 전체를 실시하는 과정에 함께하게 되며 이때 확인해야 할 사항은 다음과 같다.

- 학습자가 교수 프로그램을 이해하는가?
- 학습자가 연습과 시험에서 무엇을 하고 있는지 알고 있는가?
- 학습자가 텍스트에 있는 그래픽을 해석할 수 있는가?
- 학습자가 텍스트 프로그램을 모두 읽을 수 있는가?

소집단 평가

소집단 평가는 8~12명의 학습자를 대상으로 이루어지는 평가로, 일대일 평가에 근거한 수정의 효능성을 검토하고, 다양한 학습자에게 적용된 교수의 효과를 확인하며, 설계자의 개입 없이 얼마나 잘 가르쳐질 수 있는지를 살펴보는 것을 목적으로 한다.

이 평가방법을 활용하는 경우, 평가에 참여하는 학습자가 많을수록 평가에서 얻어진 데이터와 수정이 정확하다. 만약 강의나 집단토의 같은 활동이 교수전략으로 활용되는 것이 아니라면 모든 구성원이 반드시 교수 프로그램을 수행하지는 않아도 된다.

소집단 평가에서 확인해야 할 사항은 다음과 같다.

- 학습자가 예측한 출발점 능력을 가지고 있는가?
- 가지고 있다면, 학습자가 그 교수에서 학습목표를 성취했는가?
- 그렇지 않다면, 어떤 수정이 필요한가?
- 학습자가 예측한 출발점 능력을 가지고 있지 않았는데도 그 교수에서 학습목표를 성취했는가?
- 성취하지 못했다면, 어떤 능력이 부족해서인가?
- 학습자가 교수 프로그램이 예측하지 못한 다른 능력을 가지고 있었는가?
- 학습자가 그 교수 프로그램을 수행하는 데 걸리는 시간은 얼마인가?
- 학습자가 그 교수 프로그램에 대해 어떻게 느끼고 있는가?
- 학습자가 부정적으로 느낀다면, 이는 학습자의 수행에 어떤 영향을 미치는가?
- 그 교수 프로그램에 대한 태도를 개선하기 위해 어떤 수정이 필요한가?
- 일대일 평가의 결과로 수정된 교수 프로그램은 만족할 만한가?

현장평가

현장평가는 적어도 30명 가량의 학습자에게 개발한 교수 프로그램을 시행해 보는 단계이다. 현장평가에서는 최종적인 형식의 교수 프로그램을 사용하며, 교수환경에 따라 달라질 수 있는 문제들에 대한 정보를 얻기 위해서는 다양한 교수장소에서 현장평가를 하는 것이 좋다.

　현장평가는 소집단 평가를 통해 수정된 사항을 적용한 것이 효과가 있는지 확인하고, 실제 수업환경에서 프로그램을 실행할 때 생길 수 있는 문제점에는 어떤 것이 있는지를 확인하는 데 그 목적이 있다. 이를 위해서는 프로그램의 효과를 예측하기 위해 충분한 수의 학습자를 대상으로 실시하여 타당성을 확인해야 한다. 현장평가에서 확인해야 할 사항은 다음과 같다.

- 설계된 대로 시행할 수 있는가?
- 발생하는 행정적 종류의 유형은 무엇인가?
- 교육운영자를 위한 가이드는 쉽게 사용되는 데 필요한 정보를 제공하는가?
- 학습자는 기대된 출발점 능력을 가지고 있는가?
- 학습자는 설정된 목표를 성취할 수 있는가?
- 교수에 필요한 시간이 적절하게 추정되었는가?
- 소집단 평가의 결과에서 나온 수정사항을 반영한 것이 효과적인가?
- 교육운영자들은 수업에 대해 어떻게 느끼는가?
- 교육운영자와 학습자는 설계된 것과 같이 수업하는가?
- 교육운영자들은 교수를 통해 어떤 변화나 적응을 하는가?

4) 지속적 평가

형성평가를 통한 지속적 평가는 중요하다. 형성평가는 일회성으로 끝나는 것이 아니라 실제로 교수 프로그램이 시행되는 과정을 통해 계속적으로 이루어져야 한다. 또한 교육운영자 가이드와 교수실행에 관한 훈련에서 교수의 질을 개선할 필요성을 인식시키고, 실행과정에서의 문제점이 교수 프로그램에 반영되도록 하기 위해서도 지속적 평가가 중요하다.

　특히 교육운영자들이 하는 프로그램 수정이 설계전략과 일관성을 갖기 위해서는 교육운영자들을 대상으로 하는 훈련에서 반드시 지속적 프로그램에 대한 평가의 중요성과 설계전략에 대해 설명할 수 있는 시간을 가져야 한다.

3. 총괄평가의 개요

총괄평가는 설정된 목표를 달성하기 위해 교수 프로그램을 시행한 후에 실시되는 평가이다. 총괄평가에서는 시행된 교수 프로그램의 효과성과 매력성, 효율성에 대해 판단할 수 있는 자료를 수집하고, 분석하며 그 결과를 요약하는 작업이 이루어지며, 이 결과를 근거로 교수 프로그램을 향후에도 활용한 것인지 아닌지를 결정할 수 있는 자료로 활용된다.

총괄평가에서 다루어야 할 질문은 다음과 같다.

- 학습자는 교수 프로그램의 목표를 성취했는가?
- 학습자는 교수 프로그램에 대해 어떻게 느끼는가?
- 교수 프로그램에 드는 비용은 얼마인가?
- 학습자가 교수 프로그램을 이수하는 데 얼마의 시간이 소요되는가?
- 설계된대로 교수 프로그램이 시행되었는가?
- 교수 프로그램을 실행하는 데 있어서 발생한 예상하지 못한 결과는 무엇인가?

4. 총괄평가의 단계

교수 프로그램의 첫 번째 시행에서 총괄평가를 실시할 경우 잘못된 데이터를 얻게 될 우려가 있다. 왜냐하면 개발된 교수 프로그램의 첫 시행이 애초 설계대로 이루어지는 경우는 거의 없기 때문이다.

이러한 총괄평가의 단계는 크게 평가목표의 결정, 성공준거의 선정, 평가방향의 선정, 평가설계의 선정, 평가방법의 설계와 선정, 자료수집, 자료분석, 결과보고로 이루어진다.

평가목표의 결정

평가목표는 평가의 결과로 도출되어야 하는 정보가 어떤 것인지를 결정하고, 그것을 얻어 내기 위한 질문을 구성하는 것이다.

성공준거의 선정

성공준거의 선정은 개발된 교육 프로그램의 시행이 성공적이었다는 것을 판단하기 위한 기준을 마련하는 것이다. 예를 들어, 학습자의 이해, 과정, 태도 중 어떤 것을 기준으로 성공을 판단할지를 결정하는 것이다.

평가방향의 선정

평가방향의 선정은 평가를 위한 질문을 구성하면서 평가를 위한 접근방법과 방향을 결정하는 것이다. 예를 들어, 이번 평가에서 양적 접근과 질적 접근 중 어떤 접근을 할 것인가, 평가를 위한 증거로 적절한 양적 자료나 질적 자료가 있는가 등을 결정하는 것이다.

평가설계의 선정

평가설계를 선정하는 것은 평가를 하기 위해 요구되는 자료와 그 자료의 수집 시기, 자료수집 조건 등을 결정하고 계획을 세우는 일이다.

평가방법의 설계와 선정

평가방법의 설계와 선정은 교수 프로그램의 효과성을 측정할 수 있는 계획을 세우는 것으로 수익과 학습전이, 학습결과, 태도, 실행수준, 비용 등의 측면에서 어떻게 평가할지에 대한 평가방법과 척도를 선정하는 것이다.

자료수집

자료수집은 교수 프로그램을 평가하기 위해 자료수집 기간을 계획하고 자료를 수집하는 것이다.

자료분석

교수 프로그램을 평가하기 위해 수집한 자료들은 요구분석에서 제시된 문제를 해결하는 데 교수 프로그램이 얼마나 기여했는지를 알 수 있도록 분석되어야 한다.

결과보고

총괄평가 보고서에는 평가의 배경, 평가에 대한 설명, 결과, 논의에 대한 사항이 포함되어야 한다.

부모교육

　　– 부모교육 프로그램의 의미를 익힐 수 있다.
　　　　　– 부모교육 프로그램의 특징을 알 수 있다.
　　　　　– 부모교육 프로그램의 종류를 파악할 수 있다.
　　　　　– 부모면담 방법을 설명할 수 있다.

1. 부모교육 프로그램의 의미

성인의 보살핌이 반드시 필요한 유아의 교육은 그들의 부모와 뗄 수 없는 관계로, 교육기관뿐만 아니라 가정과의 밀접한 연계를 형성해야만 효과적인 교육을 행할 수 있다. 따라서 영유아 자녀를 둔 부모들이 잠재력과 재능을 발견하도록 하고, 그것을 자신과 가족 그 중 특히 자녀를 위해 사용할 수 있도록 지원하는 과정을 부모교육이라 한다.

그러므로 유아교육기관에서의 부모교육 프로그램의 목적은 가정과 기관이 긴밀한 관계를 맺어 영유아의 발달을 돕는 것이라 할 수 있다. 부모교육은 유아의 성장에 초점을 맞춘 교육에서 한 걸음 더 나아가 가족을 지원해 주는 교육의 개념으로 실시되어야 한다.

2. 부모교육의 특징

시대가 변화함에 따라 부모교육의 양상이 크게 달라지고 있다. 특히 미디어의 급속한 발달이 이루어지면서 전자우편이나 인터넷, 유아를 원격으로 관찰할 수 있는 실시간 유아 관찰 시스템 등 다양한 방법으로 부모교육을 실시할 수 있게 되었다.

또한 과거에는 전문가가 일방적으로 부모를 지도하는 상하수직적 방식으로 부모교육이 이루어졌다면, 현재는 자녀의 교육을 위해 서로 협력하는 동반자 관계로 변화되고 있으며, 그 내용도 상당히 구체화되고 전문화되어 적극적인 형태를 띠고 있다.

생활주기가 비슷했던 과거에는 부모교육이 대개 같은 형태로 이루어졌지만, 부모의 직업이 다양해지고 맞벌이 부부가 증가하는 등 각자의 배경이 달라지면서 다양한 상황과 요구를 일일이 수용하기가 어려워졌다. 따라서 부모교육의 개별화를 통해 교육기관과 관계를 맺는 것이 강조되고 있으며 의무적인 것이 아니라 즐거운 마음으로 참석할 수 있도록 다양한 형태의 부모교육을 계획해야 한다.

하지만 부모교육은 유아나 부모, 교사에게 부담을 주지 않으면서도 모두에게 의미 있도록 계획하는 것이 중요하다. 따라서 학예회 공연을 위해 유아에게 반복적으로 연습을 시키거나 특정 내용을 암기하고 전시회에 쓰일 작품을 반복해서 만드는 활동 등은 지양되어야 한다. 뿐만 아니라 직장을 다니는 부모에게 많은 시간을 요구하거나 경제적 부담을 주는 것도 피해야 한다.

무엇보다도 부모교육을 교육과정과 분리된 일시적 행사가 아니라 교육활동에 통합된 하나의 과정으로 인식하고 계획하는 것이 중요하다. 따라서 부모들에게 완성된 결과를 보여 주기보다는 직접 활동과정에 참여하고 교사나 자녀와 함께 구성해 나갈 수 있는 기회를 마련하는 것이 필요하다.

3. 부모교육 프로그램의 유형

1) 통신, 책자, 게시판을 통한 정보교환

정보교환을 위한 통신 및 책자, 게시판 등은 부모교육 프로그램의 한 형태이다. 특히 부모 통신은 교육기관에서 많이 사용되며, 가장 간단하면서도 다양한 정보를 효율적으로 전달할 수 있다. 통신은 내용을 짧고 간결하게 구성하는 것이 좋으며, 원에서 실시할 행사나 학습내용, 현장학습, 특별활동, 부모를 위해 계획된 프로그램의 안내뿐만 아니라 각 가정에서 실시할 수 있는 교육 프로그램을 소개할 수 있다.

게시판은 자녀를 등하원시키느라 분주한 부모들이 중요한 정보를 한눈에 볼 수 있도록 효율적으로 활용되어야 한다. 따라서 부모들의 눈에 띄기 쉬운 곳에 게시판을 마련하고, 중요한 공지사항이나 자녀들이 기관에서 생활할 때 필요한 정보들을 부착한다.

부모와 교사는 영유아의 바람직한 성장을 위해 매일 지속적인 관계를 형성하여 그에 대한 정보를 교환해야 하는데, 이때 일일 보고서가 유용하다. 교사는 등원시간과 귀가시간에 영유아의 부모와 하루 동안의 정보를 주고받을 수 있도록 일일 보고서 양식을 마련하고 일과를 보내며 영유아의 놀이, 친구, 식사, 배변, 특별한 전달사항 등을 간략하게 기록한다.

또한 공식 모임에 참석하기 어려운 부모들에게 꼭 필요한 정보를 전달하기 위해 부모용 소책자를 제작하기도 하는데, 핵심적인 내용이 정리되어 있어 읽기에 편리하며, 한 번에 다수의 부모에게 효율적으로 정보를 제공할 수 있다는 이점이 있다.

그 밖에도 부모의 바람직한 역할과 자질을 향상시키기 위한 방법으로 부모도서 안내 및 대출이 있으며 부모교육에 유용한 도서의 출판사나 제목을 수집하는 것이 있다.

2) 부모교육

오리엔테이션이나 강연회는 부모교육 프로그램 중 부모가 가장 적극적이고 직접적으로 참여할 수 있는 것이다.

학기 초에 영유아 자녀가 기관에 입학하면서 부모들의 첫 모임이 이루어지며 오리엔테이션 형식을 띠게 된다. 이 모임에서는 원의 설립목적이나 연혁, 교육 프로그램의 철학과 목표, 교육내용, 적응 프로그램, 주요 행사, 하루일과, 간식 및 점심식단 소개, 운영방침과 규칙, 건강, 위생, 안전에 대한 대책, 부모 프로그램, 교직원의 소개 등이 이루어진다.

부모를 대상으로 특정한 주제에 대해 강연을 하는 부모 강연회는 의사전달이 용이하고 기관에서 비교적 손쉽게 준비할 수 있으므로 활용도가 높다. 하지만 강사를 섭외하는 것이나 예산 문제, 부모들이 소극적으로 참여하는 등의 어려움이 있으며 부모들의 다양한 생활패턴에 따라 시간대나 주제를 배려하는 것이 필요하다.

워크숍은 부모가 특정 활동에 실제로 참여해서 배우고, 실습하는 집중적인 교육 프로그램이라 할 수 있다. 활동이 장난감 만들기의 경우, 부모는 이를 직접 제작하고 자녀와 놀이를 하면서 놀이방법을 배우게 되는데, 부모의 역할에 대해 만족감을 줄 수 있고 자녀의 발달특성을 더욱 잘 이해할 수 있게 된다.

기관에서는 부모의 일관성 있는 태도를 향상시키고 자녀의 바람직한 양육을 위해 가족행사를 마련하는데, 이때에는 아버지의 참여와 이해가 특별히 필요하다. 따라서 자녀와 아버지가 영역별로 준비된 놀이를 통해 함께 놀이하며 정서를 교감하게 하거나, 가정에서는 제공하기 어려운 목공놀이나 신체활동을 제공하는 것이 유용하다.

건강한 부부관계는 가족과 사회를 건강하게 유지해 주고 발전시키는 데 필수적이다. 따라서 기관에서는 맞벌이 부부에게 부모교육을 통해 부부관계를 형성하는 과정과 재정립하기, 친밀감을 증진시키는 방법, 가족원에게 지지기반으로서의 기능, 효율적인 의사소통을 위한 상호작용 기술을 습득시키는 내용 등을 전달할 수 있다.

3) 부모면담

위의 프로그램들이 비교적 간접적인 방식의 교육이었다면, 부모면담은 교사와 부모 간에 취할 수 있는 가장 적극적인 의사소통이라고 할 수 있다. 교사는 서로의 대화를 통해 유아의 가정환경을 알 수 있고, 부모는 기관에서 유아 모습을 이해할 수 있으며 특히 자녀가 문제 행동을 보일 때 이러한 면담이 꼭 필요하다. 교사와 부모 간의 긍정적인 관계형성을 위해서는 학기 초에 면담을 실시하는 것이 좋으며, 유아와 부모가 처한 상황과 문제의 유형에 따라 개별면담과 집단면담 중에서 적절하게 선택해야 한다.

개별면담은 먼저 기관의 계획에 따라 일정 기간과 시간을 정한 후 유동적으로 비정기적인 시간을 계획하여 조정하도록 하며, 교사는 면담 시 그동안 유아를 관찰한 관찰기록과 검사결과 등을 참고자료로 이용하고 면담결과를 기록하며 보관해 둔다. 일반적인 부모보다 같은 문제로 고민하는 부모들 간의 소모임을 가질 경우 더욱 효과적이므로 엄밀한 의미에서 일종의 '부모모임'이라고 할 수 있다. 따라서 원만한 대화를 나누기 위해서는 집단크기를 4~10명 내외로 구성하는 것이 적당하며 어느 한 부모에 의해 면담이 독점되어서는 안 된다.

이러한 면담의 과정에는 여러 요소들이 있는데, 라포와 공감의 형성, 교사의 전문적 능력, 부모를 수용적으로 존중하는 자세, 의사소통 등이 있다.

면담을 하기 위해서는 영유아의 부모와 '라포(Rapport)'를 형성하는 것이 가장 먼저 이루어져야 하는데, 이는 서로 간에 조화를 이루는 관계를 의미한다. 라포는 바람직한 면담을 위해 교사와 부모가 서로를 신뢰하고 편안한 감정으로 대화를 나눌 수 있도록 좋은 분위기를 형성하는 데 가장 중요한 것이라 할 수 있다.

인간의 문제에 민감한 교사들은 타인의 감정을 쉽게 공감할 수 있는데, '공감 (Empathy)'이란 자신이 직접 경험하지 않았지만 다른 사람의 감정과 수준을 거의 흡사하게 이해하는 것이다. 따라서 자녀를 가진 부모의 개별적인 특징을 이해하고 그 위치에서 바라보려는 노력을 해야 한다.

부모의 입장을 이해하고 그들의 생각을 수용하며 존중하는 자세도 부모면담에 반드시 필요한 요소이다. 따라서 교사는 부모의 생각에 동의할 수 없어도 직접적으로 거부하기보다는 서로가 다른 생각을 가질 수도 있다는 것을 부드럽게 표현하는 것이 바람직하다.

또한 면담 시에는 부모가 교사를 자신들을 도와줄 수 있는 전문가로 인식하는 것이 중요하므로 교사가 부모에게 권위적으로 대하거나 모든 문제를 자신이 해결하려고 하는 것은 바람직하지 않다. 따라서 교사는 부모와 영유아 자녀가 처한 상황을 적극적으로 이해하려고 노력하고, 함께 해결책을 찾는 협조자임을 알리는 것이 필요하다.

훌륭한 의사소통 방식은 무엇보다도 성공적인 면담을 위해 매우 중요한 요소이다. 고든은 이를 위해 교사가 부모가 하는 말을 주의깊게 들으며 이해하기 위해 최대한 노력하고 있다는 느낌을 전달하는 '적극적인 경청(Active Listening)' 방법을 제안했다.

효율적인 면담을 위해 교사는 미리 준비하여 부모에게 교사의 관찰내용, 유아의 작품, 검사의 결과 등에 대해 알려 준다. 부모가 문제점을 가지고 있을 경우, 그것을 말하는 것 자체만으로도 정화되는 효과가 있으므로 교사는 부모의 느낌을 반영하여 객관적으로 요약해 준 뒤 긍정적으로 표현해 준다. 사실 부모는 완벽한 인간이 아니다. 따라서 교사는 부모가 말하는 것이 과장될 수도 있다는 것을 염두에 두고 문제를 다양한 관점에서 볼 수 있도록 도와야 한다. 그러나 교사가 부모 대신 중요한 결론을 내리려 하거나 면담하는 시간을 너무 길게 갖지 않도록 한다.

교사는 면담을 진행할 때 먼저 부모와 인사를 나누고 따뜻하게 맞이하며 부모와 상담하려는 취지에 대해 설명한다. 그 다음에는 면담한 내용이 외부로 유출되지 않는다는 것을 말하여 부모가 안심할 수 있도록 하고 자녀에 관한 재미있는 에피소드를 들려주어 함께 웃으며 부드러운 분위기를 유도하면 좋다. 면담 시 유아의 문제에 대해 이야기하기할 때에는 그 전에 가능성과 장점을 미리 말하고 부모와 함께 집중적으로 지도할 사항에 대해 의논한다. 하지만 앞서 언급했듯이 부모에게 직접적인 해결책을 제시하거나 충고를 하기보다는 부모가 직접 의사결정을 하도록 배려해야 한다.

면담은 15~30분 정도 진행하는 것이 좋은데, 마무리할 때에는 서두르지 말고 면담에서 언급된 사항을 기록한 뒤에 부모가 교사에게 하고 싶은 말을 할 수 있는 기회를 준다.

현대사회의 부모는 대개 자아실현 욕구가 강하고 사회적 성취와 행복한 가정생활 모두를 얻기 위해 적극적으로 살지만, 희생은 원하지 않는다. 현재 대부분의 가정에서는 1~2명의 자녀만 양육하기 때문에 자녀들은 부모에게 더욱 소중한 존재이며 자신의 아이만큼은 다른 아이보다 더 뛰어나기를 원한다. 이와 동시에 직장에 다니는 어머니들이 증가하면서 기관에서 교육과 양육 모두를 책임져 주길 바라고 경제적 수준이 높아지면서 하나 이상의 특기교육을 시키고 취학 전에 기초적인 학습지도를 시켜야 명문대학에 진학할 수 있다고 생각한다. 또한 핵가족과 이혼가정이 확대되면서 가정과 부모 자신이 제 역할을 하고 있는지, 자녀의 문제를 해결할 수 있는지 등에 대한 불안감이 커지고 자녀를 양육하는 것에 대해 도움을 받기를 원한다.

하지만 이들은 부모 역할을 준비할 기회가 전혀 없으며 자신들의 권리를 보장받는 것을 최선으로 여기기 때문에 자신의 논리를 관철시키기 위해 언론을 사용하기도 한다. 이처럼 주관적 의견보다는 객관적 사실을 중요하게 여기고 눈에 보이는 증거를 신뢰하는 편이다.

　　이처럼 현대의 학부모들에게는 부모교육이 필수적이지만 그들은 많은 시간을 할애하는 것이 어렵기 때문에 자녀와 함께 자원봉사를 하면서 자부심과 기쁨을 느끼는 경험을 할 수 있다. 구체적 내용으로는 특별활동 봉사, 교육자료 제작, 부모의 직장 개방 등이 있다.

4. 연간 부모교육 프로그램의 예

연간 부모교육 프로그램의 예는 다음의 표와 같다.

시기	형태	내용	비고
6. 3		• 신학기 학부모 모임	
6. 4	면담 강연회	• 학부모 개인 면담 • 영유아기의 바람직한 대화법	이석순교수 (수원여대)
6. 5	워크숍	• 학부모 참여 수업: 예술과 함께 하는 행복한 놀이	
6. 7	가족참여	• 사내음악회 참여	
6. 9	강연회 가족참여	• 부모가 꼭 알아야 할 다섯 가지 • 개원 3주년 사진전	홍은경교수 (서울신대)
6. 11	가족참여	• 가족 참여 행사(임진각 기차여행)	
6. 12	가족참여	• 동극 공연	
7. 1	면담	• 학부모 개인 면담	심리검사결과 참고
7. 2	도서제공	• 부모용 도서 선별 제공	
연중	도서대여	• 부모용 도서대여	
연중	정보제공	• HANDS 영유아지원연구소 홈페이지에 추천도서 • 목록 및 추천 문화행사 안내	어린이집 홈페이지에 공지

아래 제시된 표는 삼성어린이집에서 활용하고 있는 부모교육 프로그램이다.

월	주제	진행방법	내용
3	• 부모모임 • 교육과정 및 운영소개	강의 및 질의응답	• 전반적인 어린이집 운영 계획 • 각 연령별 교육과정의 운영 방향
4	• 부모 강연회 • 주제별 부모 교육 칼럼 제공	강연회	• 맞벌이 가정의 바람직한 부모 역할
5	• 부모참여 • 주제별 부모 교육 칼럼 제공	부모참여 활동	• 가족 축제 「가족운동회」: 온 가족이 함께 하는 운동회

6	• 부모면담
	• 주제별 부모 교육 칼럼 제공
		개별면담	• 어린이집 생활 및 가정에서의 영유아
			  정보교환 및 바람직한 교육의 방법(관
			  찰기록 및 체크리스트 활용)

7	• 부모 강연회 및 워크숍 • 주제별 부모 교육 칼럼 제공	강연회 및 워크숍	• 유아의 창의성 발달을 위한 부모 역할 • 창의성 활동의 워크숍
8	• 부모 설문 조사 • 주제별 부모 교육 칼럼 제공	설문	• 운영 전반에 관한 의견 수립
9	• 부모모임 2학기 교육과정 및 운영 소개 • 주제별 부모 교육 칼럼 제공	강의 및 질의응답	• 1학기 운영보고 • 연령별 2학기 운영 계획 소개
10	• 부모참여 • 주제별 부모 교육 칼럼 제공	아빠참여 활동	• 가족축제 「아빠는 요리사」: 온 가족이 함께 하는 맛자랑 대회
11	• 부모 강연회 • 주제별 부모 교육 칼럼 제공	강연회	• 유아의 사회 정서 발달에 관한 지식과 촉진방법
12	• 부모와 함께하는 산타 잔치 • 주제별 부모 교육 칼럼 제공	부모참여	• 부모와 함께 하는 산타 잔지
1	• 부모면담 • 초등학교 입학 정보 간담회	그룹면담 외부강사 초빙	• 운영결과 보고 및 집단 면담 • 초등학교 입학 준비를 위한 현직 교사 와의 정보교환 및 상담
2	• 신입 부모 오리엔테이션	강의 및 질의응답	• 어린이집 운영 안내 및 교육과정 소개

5. 국내 유아교육기관의 부모교육 프로그램

국내의 유아교육기관에서는 대학부설기관에서 영유아자녀를 둔 부모를 대상으로한 부모교육 프로그램이 있다.

이화여자대학교 부속유치원은 크게 그룹의 크기 별로 세 가지 형태의 부모교육 프로그램이 구성되어 있다. 신입 원아 선발, 신입 원아 학부모 오리엔테이션, 유치원비 책정을 위한 협의회, 부모회 발족 등은 대그룹 형태의 부모교육 프로그램에서 이루어진다. 중그룹 형태로는 신입원아 오리엔테이션, 부모집단 면담, 부모수업 참관, 운동회, 알뜰시장, 수료식 및 졸업식 등이 있으며, 총체적 부모 교육 프로그램은 소그룹 형태의 부모교육으로 구성되어 있다.

연세대학교 어린이생활지도연구원에서 실시하는 연세 개방주의의 부모 참여 프로그램 내용은 지식과 정보제공, 기술의발달, 자아 인식의 증진, 교사역할에의 참여 및 부모의 자원제 공등으로 구성되어 있다. 교육내용에는 부모 오리엔테이션 및 운영 안내, 강연회, 워크숍 등이 있고, 참여 수업에는 가족 참여 수업, 아버지 참여 수업, 어머니 참여 수업, 보조교사가 있다. 부모와의 면담은 개별 면담과 부모간담회가 있으며 아동을 직접 관찰하거나 특별 활동 봉사, 교육 자료 제작,인형 제작 및 인형극 공연, 부모 직장 개방 등의 자원봉사 등이있다. 또한 부모 통신 및 운영안내소 책자를 통해 여러 정보를 공유하기도 한다.

한국어린이육영회에서도 부모를 위한 교육프로그램을 개발하였는데 그룹의 규모에 따라 대그룹, 중그룹, 소그룹, 개별 형태로 구분된다. 공개추첨을 통한 신입원아 선발, 신입원아 학부모 오리엔테이션, 유치원 원비 책정을 위한 협의회,부모회 발족 등은 대그룹 형태의 부모 교육이라 할 수 있고 중그룹 형태의 부모교육에는 신입원아 오리엔테이션, 부모 집단 면담, 부모 수업 참관, 부모 참여 수업, 야외 학습, 할아버지, 할머니의 날, 부모 직장 방문하기, 운동회, 민속의날, 알뜰시장, 수료식 등이포함된다. 언어, 동화 및 동시활동 워크숍은 소그룹 형태의 부모 교육으로 이루어지며, 개별형태의 부모교육에는 가정에서 유

아와 함께하는 간단한 활동, 가정의 협조를 요청하는 통신문, 부모에게 유용한
정보를 제공하는 통신문, 부모에게 보내는 짧은 글 모음 등이 있다.

이외에도 덕성여자대학교 유아교육기관의 부모교육 프로그램은 다음과
같다.

월	교육 프로그램
1월	• 신입 원아 선발 및 서류 배부
2월	• 강의: 유아교육기관과 유아의 발달
5월	• 워크숍: 어린이날 선물 제작 • 어린이날 유아를 위해 동극, 노래 등을 준비하여 공연, 유아와 함께 노래와 율동을 함
7월	• 여름방학: 방학 동안의 유아 활동 지도 방법 안내문 배부 • 부모님과 함께 가든파티
10월	• 온 가족과 함께 가을 운동회
11월	• 강의: 유아의 심리적 특성
12월	• 워크숍: 크리스마스 장식품 만들기 • 겨울방학, 성탄 축하 파티 • '유아와 함께 하는 요리 활동'안내문 배부

다음은 중앙대학교 부속 유치원의 부모교육 프로그램이다.

월	교육 프로그램
10월	소책자(상과 벌)
11월	소집단 면담(창의력 검사와 학습 준비도 검사 결과에 따른 소집단 면담)
12월	소책자(겨울 방학을 즐겁게), 참여수업(성탄 축하 가족 모임)
2월	가정통신(초등학교 입학을 위한 준비)

한림정보산업대학 부속 유치원의 부모교육 프로그램의 내용은 다음과 같다.

월	교육 프로그램
2월	부모 오리엔테이션
3월	입학식
4월	부모 집단면담, 참관 및 부모회, 아버지 참여수업
5월	봄소풍(부모님과 함께), 할아버지, 할머니 초청일
6월	부모 참관 및 행동발달 관찰 기록부 작성
7월	'부모님과 함께 수확해요'(1년 동안 가꾼 채소를 부모님과 함께 수확)
9월	엄마와 함께 씨 뿌리기, 민속 마당 놀이
10월	어린이 축제 또는 운동회
11월	부모 참관 및 행동 발달 관찰 기록부 작성, 부모 개인 면담, 김장 담그기
12월	성탄 축하 가족 모임
2월	수료식 및 졸업식

다양한 유아교육 프로그램의 유형과 실제

제 19 장

학습목표
- 국가 수준의 보육 · 교육 프로그램의 목표 및 내용을 알고 이해할 수 있다.
- 각 대학별 부속 유치원 교육 프로그램을 이해하고 설명할 수 있다.
- 기업화된 보육 프로그램을 이해하고 말할 수 있다.

1. 국가 수준의 프로그램

현재 우리나라에서 시행되고 있는 영유아 프로그램은 몇 가지로 나누어 볼 수 있는데, 국내의 것으로는 국가적 수준에서 제시되는 프로그램과 대학 부속에서 개발한 프로그램이 있다. 하지만 최근에는 외국에서 좋은 반응을 얻은 프로그램들을 많이 활용하고 있는 실정이다.

1) 보육 프로그램의 이해와 목표

국가 수준에서 명시된 프로그램은 보육 프로그램과 교육 프로그램 두 분야로 나눠져 있다.

여성가족부에서 제시한 보육 프로그램에서는 그 목적을 영유아보육법 1조에 근거하여 설명하고 있는데, 그것은 다음과 같다. "보호자가 근로 혹은 질병 기타 사정으로 인하여 보호하기 어려운 영아 및 유아를 실시간 보호와 건전한 교육을 통해 건강한 사회성원으로 육성함과 아울러 보호자의 경제적·사회적 활동을 원활하게 하여 가정복지 증진에 기여함을 목적으로 한다."

이것의 의미는 영유아의 기본적인 욕구를 충족시킴과 동시에 안전한 환경에서 보호를 통해 건강하고 조화로운 발달을 증진시킬 수 있는 영유아교육을 한다는 것이다.

따라서 건강영역에서 교사의 역할은 영유아의 몸과 마음이 건강하도록 청결하고 쾌적한 환경을 제공하며 신체적으로 건강이 나쁜 유아와 심리적으로 결핍되어 있는 유아에게 따뜻한 보호와 간호, 지지를 제공하는 것이다. 또한 규칙적인 생활과 건강한 습관에 대한 지도를 하며 질병을 예방하는 데 필요한 일을 실천하는 것이다.

안전영역에서는 유아에게 안전한 생활공간과 설비, 놀이기구를 제공하고 사고를 예방할 수 있는 방법을 가르치는 것과 동시에 사고 발생에 대비하는 것을 주 내용으로 하고 있다.

영양영역의 내용에는 영유아의 신체발육이 건강하게 이루어질 수 있도록 영양을 공급하고 식품을 위생적으로 관리하며 바람직한 식습관 형성을 위한 지도가 포함되어 있다.

교육영역은 네 가지로 구분되어 있는데, 신체발달 영역과 감각지각 및 인지발달 영역, 사회적 상호 발달 영역, 정서적 안정감 및 인성발달 영역이 그것이다. 신체발달 영역에서는 먼저 영유아에게 다양한 물체에서 나는 소리나 사람의 말을 듣게 하여 다양한 소리가 있다는 것을 알게 하고 소리와 언어에 친숙한 느낌을 가지게 한다. 이러한 과정을 통해 영아는 다양한 소리를 변별할 수 있는 능력을 기르고 스스로 새로운 소리를 내거나 정확한 발음을 익히게 된다. 또한 다른 사람과 능숙하게 의사소통할 수 있을 뿐만 아니라 글자의 기초가 되는 다양한 낱말을 변별하는 능력과 자연스럽게 문자를 이해하는 능력을 기르게 한다.

감각, 지각 및 인지발달 영역에서는 우선적으로 영유아의 감각기능을 발달시켜 주변 환경을 옳게 지각할 수 있는 능력을 기르게 하는 것을 목적으로 한다. 또한 감각운동 간의 협응능력을 기르게 하고 활동을 자유롭게 선택하게 하거나 호기심을 표현하는 것을 장려하여 스스로 탐색하는 능력과 태도를 기르게 한다. 영유아는 성장하면서 자신에게 닥치는 문제를 적절히 해결할 수 있는 능력을 갖게 되는데, 경험을 통해 자연현상과 사회 구성원의 일환으로 사회현상 및 사회기능에 대한 기본 개념을 알 수 있게 된다.

사회적 상호 발달 영역은 영유아에게 낯익은 사람의 얼굴을 알아보고 그에 대한 자신의 의사를 적절히 표현하게 하며 타인과 관계를 맺을 때 필요한 예의 있는 태도를 기르게 하는 것을 목적으로 한다. 또한 타인과 상호작용을 할 때에는 긍정적이고 적극적인 태도를 갖고 자신에 대한 주체성을 기르며, 나아가 문화적 자긍심을 가지게 하는 것도 포함한다.

정서적 안정감 및 인성발달 영역에서는 영아의 발달특성 중 하나인 격리불안을 원만하게 해결하고 감정과 욕구를 자연스럽게 표현하게 한다. 이로써 영유아는 자신에 대해 긍정적 태도를 지니며 스스로 활동을 선택하고 그것을 완성하려는 성취욕을 기를 수 있다. 이때 형성되는 호기심을 교사가 격려해 준다면 영유아는 자신감을 갖고 지속적으로 새로운 것을 탐색할 수 있다. 또한 자연과 사물의 아름다움을 느끼게 하거나 음악을 감상하는 기회를 제공하며 자신의 감정을 독창적으로 표현하는 능력과 태도를 기르게 하는 내용을 포함한다.

2) 보육 프로그램의 내용

보육 프로그램의 내용에는 교육, 건강, 영양, 안전관리뿐만 아니라 부모에 대한 서비스와 지역사회와의 교류에 대한 것이 있다.

영유아기의 건강은 일생 중 성장의 기초가 되므로 영유아 보육 프로그램의 내용에서는 무엇보다도 건강관리가 우선적으로 강조되어야 한다. 영유아보육법 시행규칙 제23조 별표 9(1996)에서 제시한 건강관리의 내용에서는 보육시설장은 영유아 건강 검진 결과 건강상태가 나쁜 아동에 대해 보호자와 상의하여 치료를 위한 여러 조치를 취해야 한다고 설명하고 있다.

또한 종사자의 신규 채용 시 매년 1회 이상의 건강진단을 실시하고 전염병 질환이 있는 것으로 밝혀지거나 의심되는 영유아의 경우 시설로부터 격리시켜야 한다. 응급조치를 위한 비상약품 및 간이 의료기구는 보육시설 내의 안전한 장소에 비치하고 조리실, 화장실, 침구 등은 정기적으로 소독을 실시하고 부패하기 쉬운 음식물을 철저하게 관리해야 한다. 이러한 건강관리에 대한 내용은 다음 표에 정리되어 있다.

건강기록부	건강검진 • 일일건강관리	정기 건강 검진 • 체격검사 – 영아: 2개원에 1번 – 유아: 6개원에 한번 – 교직원 1년에 한번 • 체질검사	질병관리	위생관리

영유아의 바람직한 신체적, 심리적 성장을 위해 필요한 영양소를 공급하는 영양관리도 보육프로그램의 중요한 내용을 차지한다. 영양관리에 대한 계획항목(영유아보육법 시행규칙 제23조 별표 9, 1996)에는 급식을 통해 필요한 영양을 섭취할 수 있도록 영양사가 작성한 식단에 의해 음식을 공급하되 영유아 100인 미만을 보육하는 시설의 경우에는 보육 정보센터, 보건소 또는 영양 관련 전문단체 등에 있는 영양사의 지도를 받아 식단을 제공해야 한다고 명시되어 있다. 특히 1세 미만의 영유아와 특별식이 필요한 영유아는 부모나 보호자

의 의견을 반영하여 음식을 제공해야 한다. 영아의 발달단계와 음식을 제공하는 형태에 따라 세부사항이 차이가 있는데, 다음 표에 제시되어 있다.

수유와 이유기 : – 우유병 소독 철저 – 이유 스케줄 조정	**간식과 급식 계획 :** – 영양권장량, 기호수준, 계절 등을 고려하여 계획	실제 운영

또한 이 시기 영유아의 발달특성을 고려하여 안전관리에 각별히 주의해야 한다. 안전관리에 대한 계획(영유아보육법 시행규칙 제23조 별표 9, 1996)에는 보육시설의 장은 화재 등 긴급 사태에 대비한 계획을 수립하고 정기적인 안전점검 및 훈련을 실시해야 한다고 규정되어 있다. 또한 보육시설에 입소하는 유아 전원이 상해보험에 가입해야 하며, 보험가입에 소요되는 비용은 보호자가 부담해야 한다. 보육시설의 장은 화재보험에 가입해야 하고 영유아가 다니는 실내의 통로를 충분히 보유하여 교구장이라든지 장난감에 걸려 넘어지거나 다치지 않게 하고 놀이기구들을 정기적으로 검사하여 수리할 곳은 즉각 수리하고 유아에게 안전하게 놀이할 수 있는 규칙을 일러 주어야 한다. 안전관리 영역에는 교사교육과 영유아의 안전교육이 함께 제시되어 있다.

보육계획을 세울 때의 사항(영유아보육법 시행규칙 제23조 별표 9, 1996)에는 교육이란 영유아의 인지적, 정서적, 사회적, 신체적, 언어적 발달을 위해 계획된 활동으로 개인, 단체활동과 동적, 정적 놀이, 수유·배변 등의 생리적 욕구에 대한 배려와 휴식이 포함된다고 제시되어 있다.

그 외에도 보육 프로그램은 지역사회와의 끊임없는 교류를 통해 영유아에게 양질의 서비스를 제공할 수 있다.

3) 교육 프로그램의 이해

제6차 교육과정은 전인적 성장의 기반 위에 개성을 추구하는 사람, 기초능력을 토대로 창의적 능력을 발휘하는 사람, 우리 문화에 대한 이해의 토대 위에 새로운 가치를 창조하는 사람, 민주 시민의식을 기초로 공동체의 발전에 공헌하는 사람을 기르게 하는 데 목적을 두는 내용들로 구성되어 있다.

따라서 수준별로 적절한 교육내용을 마련하고 교육시간을 운영할 때 다양한 방식을 추구하며, 기본 생활습관 및 협동적인 생활태도를 강조하는 것, 감성계발 교육, 창의성 함양 교육을 강화하는 것, 전통문화에 충실함으로써 세계화에 대비하는 것이 제6차 교육과정의 중점 사항이었다.

유치원 교육과정의 목표는 전인적 성장을 기초로 유아의 일상생활에 필요한 기본 능력과 태도를 기르는 것이라 할 수 있다. 국가 수준에서의 유치원 교육과정의 유치원 교육목표는 유아로 하여금 몸과 마음이 건강하게 자랄 수 있는 경험을 가지고 기본 생활습관을 기르며 다른 사람과 더불어 생활하는 태도를 가지게 하는 것이다. 또한 생각과 느낌을 창의적으로 표현하게 하고 언어를 바르게 사용하며 일상생활의 문제에 대해 스스로 궁리하는 태도를 가지는 것도 포함된다.

교육 프로그램 구성은 언어, 탐구, 건강, 사회, 표현으로 나뉘며 수준별 내용은 다음과 같다.

먼저 건강생활의 목표는 유아가 자신의 신체에 대해 긍정적으로 인식하고 생활하는 데 기초체력을 기르며 영유아가 건강하고 안전한 생활습관을 기르게 하는 것이다. 이를 달성하기 위한 세부적 목표로는 여러 가지 신체활동과 다양한 감각경험을 통해 신체와 자신의 주변 세계를 인식하는 데 필요한 영유아 기초능력을 기르게 하는 것이 있다. 또한 신체활동에 즐겁고 적극적으로 참여하여 기본적인 운동능력을 기르고 건강한 정신을 기르게 하며, 건강과 안전에 관련된 지식과 기술을 익혀 규칙적인 생활습관을 기르게 하는 것도 이에 속한다.

사회생활의 목표는 유아가 기본 생활습관과 자기 조절능력을 기르고, 타인과 더불어 사는 삶을 실천하며 사회현상에 관심을 갖게 하는 데 있다. 이를 이루기 위한 세부적 목표로는 예의 바른 행동을 하고 질서를 지키며 물자를 아껴 쓰는 생활습관을 지니고 긍정적 자아개념을 토대로 자신의 일을 계획하고 이를 실천함으로써 자기 자신의 조절능력을 길러야 하는 것이 있다. 따라서 유아 자신과 다른 사람의 관계를 이해하게 되어 서로 협력하고 더불어 살아가는 능력을 기를 수 있으며, 더 나아가 우리가 살고 있는 사회환경에 관심을 갖고 사회 적응력을 기를 수 있어야 한다.

표현생활의 목표는 자연과 사물의 예술성에 관심을 갖고, 심미감과 자신의 감정을 창의적으로 표현하는 능력을 기르고 안정적인 정서를 지니게 하는 데 있다. 이의 세부적 목표로는 자연과 사물의 예술적 요소들을 탐색하는 가운데 호기심을 갖고 다양한 활동을 통해 생각과 느낌을 표현함으로써 창의적으로 표현하는 능력을 기르는 것이 있다. 또한 정서적 안정감을 가지고 자연과 사물, 작품 등을 다양하게 감상함으로써 풍부한 감성과 심미감을 기르는 것도 있다.

언어생활의 일차적 목표는 일상생활을 하면서 필요한 기초적인 언어능력을 기르고, 올바른 언어습관과 태도를 가지게 하는 데 있다. 이를 달성하기 위한 세부적 목표로는 먼저 다른 사람의 말을 잘 듣고 이해하는 능력을 갖고 자기의 생각과 느낌을 말로 표현하는 것이 있다. 또한 영유아는 글자와 글에 친숙해지면 읽기와 쓰기에 관심을 갖게 되는데, 이와 더불어 듣고 말하는 데 있어 올바른 태도를 가져야 한다.

탐구생활의 목표는 다양한 사물과 자연현상에 호기심과 관심을 가지고 이것들을 탐구하는 데 필요한 여러 기초능력과 태도를 기르는 데 있다. 이를 달성하기 위한 세부적인 목표로는 사물을 조작함으로써 논리·수학적 사고의 기초능력을 기르고, 일상생활에서 접하는 문제를 창의적 방법으로 탐구하며 다양한 해결책을 찾는 태도를 가지는 것이 있다.

2. 대학별 프로그램과 국내 보육 프로그램

1) 이화여자대학교 프로그램

이화여자대학교 부속 유치원은 미국인 선교사 브라운 리가 1914년에 설립했다. 이곳의 프로그램은 오랜 전통을 지니고 있는데, 유아의 사회정서 발달을 최우선으로 여긴다. '전인적 교육'이 프로그램의 목표이며 구체적인 교육목표는 환경과 상호작용을 통해 건강과 신체적 능력을 증진시키고 인지적 과정과 기능을 촉진하며 언어발달을 이루도록 하는 것이다. 또한 유아에게 자신감을 심어 주어 학습을 할 때 자신은 독특하고 유능한 학습자라는 긍정적 자아상을 수립할 수 있도록 돕는다. 뿐만 아니라 주변 환경에 대한 기능적 지식을 가르치고 생활습관의 형성을 촉진하는 것도 포함된다.

교육내용은 일상생활을 중심으로 한 것이나 단원을 기준으로 하는데, 교사가 유아의 실생활에서 필요한 경험이라고 생각되는 것들이 '단원'으로 정해지며 그 내용을 중심으로 수업이 진행된다. 단원의 단계적 원리는 아동과 가정생활, 지역사회, 유아의 미래에 영향을 주는 그 밖의 요인, 미래에 아동에게 영향을 줄 요인으로 이루어져 있다.

교육활동은 유아가 생활 속에서 경험하는 것과 연계될 수 있도록 통합된 교육내용으로 구성되어 있으며, 학급구성은 반일제 단일 연령 학급과 만 3세 학급, 2개의 만 4세 학급, 만 5세를 대상으로 하는 2개의 학급과 4, 5세 혼합 연령 종일제 학급으로 되어 있다.

2) 중앙대학교 부속 유치원 프로그램

활동중심 통합 교육과정이란 코메니우스, 루소, 프뢰벨을 비롯한 듀이, 몬테소리, 피아제가 주장한 것으로 우리나라 유아교육 현장에 놀이와 유아를 중심으로 개별성과 상호작용 등을 통합하여 적용시킨 프로그램이다. 여기서 통합이란 유아의 과거와 현재 그리고 미래의 경험까지도 모두 아우르는 것으로, 유아와 교사 간의 관계는 물론 교육내용 간의 통합, 유아 개개인의 지식이나 개념, 유아의 발달과 활동 간의 통합을 의미하며, 이는 곧 유아의 전인적 교육이기도 하다.

이 교육에서 모든 프로그램의 핵심은 유아이다. 따라서 일차적으로 유아의 인격을 존중하여 흥미와 욕구를 불러일으켜서 의미 있는 교육이 이루어지도록 해야 한다. 그러나 이는 이미 정해진 교육철학과 내용을 유아가 익히도록 전달하는 것이 아니라 유아가 흥미 있어하는 교육내용을 중심으로 지식을 축적시키는 것이라 할 수 있다.

활동중심 교육의 목표는 유아가 건강한 신체를 갖도록 하고 창의적 사고를 하며, 사회에서 행복하게 지내는 동시에 책임감을 지니고 협동할 수 있도록 돕는 것이다. 구체적인 교육목표는 신체가 조화롭게 발달하고 창의적 사고력과 표현력을 갖도록 하는 것이다. 또한 주변 세계의 구체적인 경험을 통해 환경을 이해하고 지식을 확장하며, 각각의 아동에게 의미 있는 학습이 이루어지고 사회적 규칙과 도덕적 가치에 대해 인식하도록 하는 것도 포함된다. 뿐만 아니라 자신이 속한 사회에 적극적으로 참여하여 책임감 있는 구성원이 되게 하고, 궁극적으로는 즐겁고 행복하며 긍정적인 삶을 누릴 수 있도록 하는 것이 목표이다.

3) 연세대학교 어린이 생활지도 연구원 프로그램

'어린이 생활지도 연구원'은 연세대학교의 부설 교육기관으로 1970년대 후반에 설립되어 개방식 접근법에 의한 유아교육과정을 실시한 실험적인 유아교육기관이다. 운영 초기에는 교육대상이 3~5세였으나 사회가 변화함에 따라 취업모를 대상으로 종일반 프로그램을 시범적으로 실시하면서 대상연령을 2세까지 낮춰 걸음마기 유아를 중심으로 한 프로그램을 개발했다.

개방주의 교육의 이론적 배경에는 듀이와 피아제 이론, 인본주의 심리학 이론이 있다. 개방주의 교육이라는 용어는 그동안 비형식적 교육, 통합된 하루, 개방학교, 진보학교 등 학자에 따라 다양하게 언급되었지만 '개방성'을 주제로 한다는 공통점을 가지고 있다.

듀이는 실용주의 철학을 내세우며 유아의 흥미와 요구, 경험과 그 과정을 중요시함으로써 경험할 거리가 풍부하고 자유롭게 탐색할 수 있는 환경을 제공해 주어야 한다고 했다. 특히 그는 모든 활동마다 창의성을 강조했는데, 유아가 문제를 해결하는 과정을 직접 경험하고 학습이 개별적으로 이루어지는 자기 선택 활동을 할 수 있도록 했다. 또한 실내뿐만 아니라 실외에서도 다양한 경험을 체험하도록 하고, 지역사회와의 연계를 통해 실질적인 교육이 이루어지게 했다.

피아제는 발생학적 인식론을 주장하며 '지식이란 아동이 외부로부터 주어진 것을 습득하여 내면화하는 것이 아니라 자신이 내부로부터 구성함으로써 획득되는 것'이라고 했다. 따라서 그는 놀이의 과정 모두가 가장 중요한 학습방법이라고 했으며 이를 통해 유아가 스스로 놀이를 주도하고 능동적으로 참여하도록 지원해 주었다. 또한 물리적 환경을 다양한 교구, 교재로 풍부하게 구성하고, 소집단으로 이루어지는 학습을 제공하여 유아가 흥미에 따라 선택하고 참여할 수 있도록 배려해 주어야 한다고 했다.

한편 인본주의 심리학 이론에서는 개인을 유일하면서도 통일된 전체로 연구해야 한다고 보았으며, 유아가 학습주체가 되도록 자율성을 최대한 보장해 주고자 했다. 따라서 유아에게 스스로 의사를 결정하고 선택할 수 있는 기회를 보장해 주고 자발적으로 학습할 수 있는 동기를 형성하도록 강조했다. 또한 창의적 표현을 장려하고 학습의 성취여부보다는 학습에 대한 태도, 상황에 대한 이해력과 문제해결 능력을 기르게 하는 등 올바른 가치관을 형성하는 것을 중요하게 여겼다.

연세대학교 개방주의 프로그램의 구성은 연령에 따라 반일반인 만 3~4세 혼합 연령 2반, 만 5세 단일 연령 2반과 취업모 자녀를 대상으로 한 종일반으로 나넌다. 프로그램의 특징으로는 개방적인 교육환경과 교사 대 유아의 낮은 비율, 통합성과 과정 지향성을 지닌 교육과정, 아동의 선택권과 주도권이 강조되는 교육방식, 교사의 역할 등이 있다.

연세대학교 개방주의 교육과정은 교육목표를 선정하고 서술할 때 구체적인 행동목표를 나열하기보다는 핵심적 가치를 중심으로 11개의 목표를 설정했으며 그 내용은 아래와 같다.

① 신체를 원활히 조절함
② 긍정적 자아개념을 가짐
③ 자신의 생각 또는 감정을 언어로 나타내며 타인의 말을 바르게 이해함
④ 건강한 생활습관을 가짐
⑤ 자신의 욕구를 조절하고 적절히 표현함
⑥ 의사결정 능력을 기름
⑦ 환경과 주변 자원을 탐색하고 효과적으로 이용함
⑧ 논리, 수, 과학적 사고를 탐색하고 효과적으로 이용함
⑨ 자신의 생각이나 느낌을 창의적으로 표현함
⑩ 창의적으로 사고하고 문제를 해결함
⑪ 다른 사람에 대해 관심을 갖고 존중함

4) 삼성 보육 프로그램

1989년에 복지재단이 설립된 후, 삼성 어린이집 프로그램은 여성의 사회참여와 핵가족화가 증가하면서 가정의 양육기능이 약화되자 이에 적극적으로 대처하기 위해 공익활동의 취지를 갖고 시작되었다. 삼성 보육 프로그램에서는 신체적, 정신적으로 건강한 사람, 기본적인 능력과 자신감을 갖추며 당면한 문제를 처리할 수 있는 잠재력을 가진 유능한 사람, 자기 통제능력을 지니며 스스로

의사결정을 할 수 있는 자주적인 사람, 유연하고 독특한 사고를 할 수 있으며 호기심과 탐구심이 강한 창의적인 사람, 민주시민으로서의 기본적인 자질을 갖추고 더불어 사는 사회 구성원으로서의 역할과 책임을 다하는 도덕적인 사람을 양육하는 데 목표를 두고 있다.

이론적으로는 듀이의 진보주의 철학과 피아제의 인지발달 이론, 에릭슨의 사회심리학 이론, 비고츠키의 사회적 상호작용 이론을 배경으로 하고 있다.

따라서 영유아는 개별적 특성을 가진 인격체이며 환경과의 상호작용을 통해 주도적으로 지식을 구축해 나간다고 보았다. 또한 영유아는 과거의 경험에 현재 일어나고 있는 상황을 적용시킬 수 있는데, 이러한 학습은 출생 시부터 일생을 통해 이루어지며 흥미를 느끼는 놀이를 다른 영유아와 함께 하며 배우기도 한다. 뿐만 아니라 영유아는 주 양육자와의 신뢰감을 기본으로 한 상호작용을 통해 긍정적인 자아개념을 형성하고, 사회문화적 맥락에서 유능한 성인과의 상호작용과 지원을 통해 발달이 촉진된다. 따라서 생애 초기에 형성되는 인성이나 성격은 지속적으로 삶에 영향을 미치는 중요한 요소라고 할 수 있다.

이처럼 영유아 프로그램은 영아의 기본적인 욕구를 충족하며, 안전하고 건강하게 보호하며 전반적인 발달이 통합적으로 이루어지도록 촉진하는 것을 목표로 한다.

최근 현장 적용 프로그램

제 20 장

학습목표
- 세계적인 현장 적용 프로그램의 종류를 알 수 있다.
- 각 프로그램의 기본 의미와 교육목표를 이해할 수 있다.
- 각 프로그램의 교육방법을 익힐 수 있다.
- 세계적인 프로그램의 이해를 통한 프로그램 개발을 고려할 수 있다.

1. 프로젝트 접근법

미디어의 발달로 최근에는 외국에서 개발되어 성공한 프로그램들이 국내에도 알려져 우리나라의 영유아교육과정 개발에 많은 영향을 끼치고 있다. 하지만 이러한 프로그램들은 분명 우리나라 교육과정에서 추구하고자 하는 기본 방향과 다른 부분도 있다. 따라서 영유아의 전인적 발달을 위해 무조건 수용하기 전에 각 프로그램의 철저한 분석을 통해 국내의 현실에 맞게 수정, 보완하여 적용시켜야 한다.

최근에는 국내에서도 동양사상과 전통문화를 내용으로 삼은 것이나 유아의 발달특성을 고려한 '생태 유아교육 프로그램' 등이 개발되어 부모들과 유아교육 관계자들의 주목을 받고 있다.

프로젝트 접근법은 미국의 진보주의 교육학자들인 존 듀이(John Dewey)와 윌리엄 킬패트릭(William Kilpatric)이 유아의 성장발달에 효과적인 교수–학습 방법을 제시한 것에서 유래한다. 이는 1950년부터 1970년 후반까지 뱅크스트리트 교육과 함께 영국의 열린교육과 유사한 교수–학습 방법으로 알려져 왔으며 오랫동안 교사들의 많은 지지를 받았다.

1980년대에 들어서면서 릴리안 칼츠(Lilian Katz)와 실비아 차드(Sylvia C. Chard)는 프로젝트 접근법에 관한 연구들을 분석했는데, 프로젝트 교육방식이 기존의 고정관념과 달리 유아의 인지적, 학문적 발달을 저해하지 않을뿐더러 오히려 긍정적 영향을 미친다고 했다. 이후에는 기존의 프로젝트 학습방법이 '프로젝트 접근법'이라고 불리며 세계의 유아 및 초등 교육계에 널리 소개되어 재조명되었다.

즉, '프로젝트 접근법'이란 소집단으로 유아가 협력하며 학습할 가치가 있는 어떤 특정 주제에 대해 깊이 연구하는 활동으로 유아의 내적 정신 계발에 그 의의를 두고 있다. 여기서 '정신'이란 지식이나 기능뿐 아니라 도덕적, 심미적, 정서적인 감수성까지 포함한 개념이다.

한편 '뱅크스트리트 교육'의 핵심목표는 프로젝트를 통해 지식, 기능, 성향, 느낌의 조화로운 발달과 같은 유아교육의 궁극적인 목표를 달성하기 위한 이상적인 방법을 제공하는 것이다. 이는 가드너의 다중인지 이론과 비고츠키의 사회문화적 이론을 중요한 기반으로 두고 있다.

이처럼 프로젝트 접근법은 유아가 문제를 해결하기 위해 교사나 또래들과 함께 연구하는 과정에서 본래 주어진 주제보다 더 많은 것을 학습하도록 하는 것에 초점을 두고 있다. 따라서 유아가 정답을 알아내는 것보다 주제에 대해 다양하고 깊이 있는 관찰을 하게 하는 것을 주 목적으로 삼고 있다.

1) 프로젝트 접근법의 교육목적과 목표

카츠와 챠드(Katz & Chard, 1989)는 프로젝트 접근법의 교육목적이란 '유아가 자신의 주변 세계에 대한 이해력을 높이고, 긍정적인 학습성향을 발전시키며 체계적인 교수나 자발적인 놀이를 하며 배운 것을 프로젝트 활동을 통해 보완하고 강화하는 것'이라 했다. 또한 교사는 도전의식을 가지고 맡은 일을 수행해야 하는데, 학교에서 학습한 것과 유아의 삶이 일치되도록 교육을 실제생활과 연결시키며, 소속감과 공동체 의식이 발달하도록 도와야 한다고 했다.

프로젝트 접근법의 목표는 프로젝트를 전개하는 과정에서 각 유아가 고유한 능력을 발휘하고 자신에게 없는 것은 또래로부터 배우는 기회를 갖게 하는 것이다. 이러한 과정을 통해 유아의 독특한 능력을 인정해 준다면 더욱 성장할 수 있으며, 또래 간의 상호작용을 통해 서로가 다르다는 것을 인식함으로써 다른 사람을 존중하는 자세를 갖게 됨은 물론, 부족한 학습내용을 보완할 수 있다. 이처럼 유아가 또래와 함께 도와가며 활동하는 가운데 자신감과 소속감, 유대감 등을 갖게 되어 안정된 정서와 공동체 의식을 갖게 될 수 있다. 이외에도 유아에게 생활세계에 대한 이해를 증진시키고 꾸준히 학습하는 자세를 강화하려는 의도도 있다.

2) 프로젝트 접근법의 교육과정

프로젝트 접근법의 교육과정은 준비 단계를 거쳐 시작 단계, 전개 단계, 마무리 단계로 이루어지나 기존의 교육과정과 달리 일정 기간이 정해져 있지 않고 유아의 흥미도와 관심여부에 따라 2~4주에 걸쳐 진행되기도 한다.

프로젝트 접근법의 준비 단계에서 교사가 주제를 선정할 때에는 기관의 여러 요건을 고려해야 하며 유아의 과거 경험에서 주제를 도출해 내거나 흥미 있어 하는 주제를 먼저 정하고 교사와 토론하여 가장 좋은 것을 고르는 방법이 있다.

이처럼 프로젝트의 주제 선정은 유아가 관심을 보이는 주제를 고르게 한 뒤, 교사가 판단하여 최종적으로 결정된다. 교사는 브레인스토밍을 통해 선정된 주제에 대해 지식과 개념을 생각나는 대로 적어 본 후, 비슷한 개념끼리 분류하여 각각 그룹을 짓는 유목화를 거치게 한다. 예비 조직망은 교사가 위와 같은 방법으로 미리 주제에 대해 생각하고 조직한 것이며 아래에 그 예시가 있다.

예비 조직망이 완성되면 교사는 학부모에게 프로젝트 주제와 그것을 수행하는 데 필요한 지원목록을 구체적으로 알려야 한다. 이렇게 학부모와 프로젝트 수업에 대한 의견을 나누는 과정에서 교사는 유아의 사전지식이나 경험 등을 미리 생각하고 다양한 활동을 구체화할 수 있게 된다.

그 다음에는 프로젝트의 1단계를 수행하는데, 주제에 관해 유아가 미리 경험한 것을 이야기하거나 그림 그리기, 조형활동, 역할놀이 등으로 표현해 본다. 이러한 과정은 앞에서 제시된 예비 주제망을 작성하는 방법을 통해 교사와 함께 공동 주제망을 구성해 보는 것으로 진행된다. 교사는 완성된 주제망을 유아와 함께 보며 이야기를 나눈 뒤, 유아가 호기심을 갖는 것들을 모아 질문목록을 만든다.

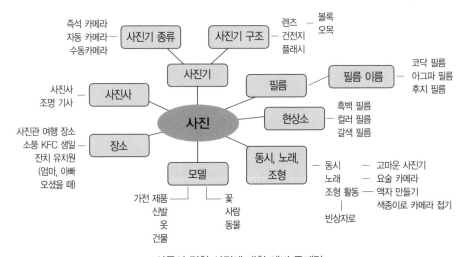

교사들이 정한 사진에 대한 예비 주제망

프로젝트 수업의 2단계는 유아가 주제와 관련된 목표를 세우고 그것을 달성하기 위한 활동으로 이루어지는데, 궁금해하는 것은 조사탐구 활동으로 이어지기도 한다. 또한 전문가와의 만남이나 현장학습 등의 다양한 활동을 통해 미술, 언어, 수학, 극화활동 등의 표상활동을 진행할 수 있다.

3단계는 프로젝트 활동의 마무리에 해당되는데, 기존의 전시회나 발표회를 함께 계획할 수도 있다.

이를 준비하는 과정에서 유아는 타인과 의견을 나누고, 자신의 활동에 대해 스스로 평가하는 기회를 갖게 된다. 교사는 유아와 함께 프로젝트 수업을 진행하면서 아쉬웠던 점이나 발전시키고 싶은 방향 등을 이야기 나누며 다음의 프로젝트 주제를 미리 생각해 볼 수 있다.

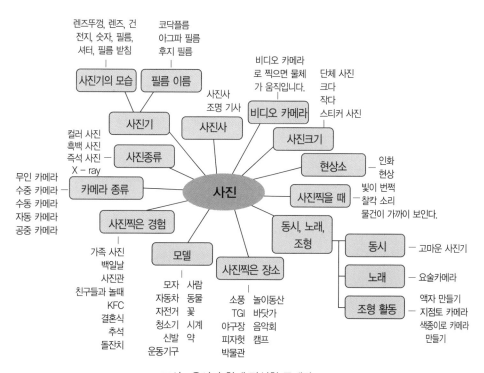

교사-유아가 함께 작성한 주제망

이처럼 프로젝트 수업은 유아가 가진 능력과 무한한 가능성을 신뢰하는 기본 정신을 토대로 하므로, 유아가 또래와 협동하여 학습하고 발달할 수 있음은 물론, 교사 역시 탐구하는 자세를 발전시킬 수 있는 기회를 제공한다. 하지만 각각의 유아교육기관에서 진행 중인 프로그램을 모두 프로젝트 접근법으로 바꾸기보다는 기관의 철학, 목표, 환경 등을 고려하여 활용하는 것이 바람직하다고 할 수 있다.

2. 레지오 에밀리아 접근법

1) 역사적 배경

'레지오 에밀리아 접근법'이란 명칭은 이탈리아 북부의 소도시에서 유래한다. 이 곳은 진보주의와 사회주의적 성향이 짙어 아동교육과 사회복지에 대한 관심이 높고, 공동 책임의식이 강하다.

최초의 레지오 에밀리아 교육기관은 말라구찌(Malaguzzi)에 의해 설립되었는데, 제2차 세계대전 이후 파괴된 도시를 재건하고 아동들에게 희망을 주기 위해 부모들이 공동조합 형태로 만든 것이다.

따라서 이는 30여 년 동안 발전해 온 레지오 시의 유아교육에 대한 철학적 가정, 학교 조직 방법, 환경 디자인, 교육과정과 교수법, 시와의 관계 등을 모두 합하여 총칭하는 것이라 할 수 있다. 레지오 에밀리아 프로그램을 사용하는 곳으로는 3~6세를 대상으로 하는 학교가 20개교, 1973년에 시행된 0~3세 대상의 학교가 12개교 있으며, 종일제도 운영하고 있다.

2) 이론적 배경

하지만 레지오 에밀리아 접근법은 창시자인 말라구찌의 이론 외에도 듀이, 비고츠키, 피아제, 가드너 등 여러 학자들의 이론 중 레지오 시의 사회에 적용 가능한 부분을 수정하여 발전시켰으므로 이들의 영향을 받았음을 인정한다.

유아는 스스로 자기를 구성해 나간다는 피아제의 인지 이론과 유아는 환경과 상호작용하여 발달과 학습이 이루어진다고 주장한 듀이의 이론이 대표적인 예라고 할 수 있다. 또한 아동을 무한한 가능성이 있는 존재로 인식하고 탐구주제에 대한 또래 간의 의사소통 기회를 마련하여 잠재적 영역을 확장시켜야 한다는 비고츠키의 이론도 이에 속한다.

즉, 유아는 자신의 환경에 많은 호기심과 흥미를 가지고 스스로 학습할 수 있는 유능한 존재이다. 그러나 이러한 적극적인 사회적 상호작용은 다른 유아나 가정, 교사, 지역사회 등과의 유기적 관계를 전제로 한다.

3) 교육의 주요 개념 및 교육 운영

말라구찌는 "교육의 모든 현상을 요약한 하나의 교육 이론은 존재하지 않는다."라고 했는데, 이는 시야를 넓히고 교육에 대한 여러 관점들을 포괄하여 지속적 변화를 시도하는 그의 철학을 단적으로 나타내는 것이라 할 수 있다(오종숙, 2001, 재인용).

레지오 에밀리아의 교육과정은 단계별로 명확하게 구분되어 있지 않고 대부분 소집단으로 구성되어 있다. 교사들은 활동주제가 선정되면 교육목적을 세우고 다양한 각도에서 설정한 가정을 바탕으로 교재 및 교구 등을 적절히 준비한다. 이러한 과정을 거친 활동은 공동의 목적을 추구하는 소집단에서 발생하는 인지적 갈등, 해결과정, 상징적 표상활동, 유아활동에 대한 교사의 관찰, 기록, 분석, 논의의 과정을 통해 끊임없이 발전되며 매일의 학습내용과 방법은 계속 조정된다.

상징화 주기는 이 교육과정의 일부분이라 할 수 있는데, 첫 번째 주기에서는 유아가 아는 것을 말로 표현해 보고, 두 번째 주기에서는 그리기와 토의가, 세 번째 주기에서는 가상해 보기가 이루어진다. 그 다음 주기에는 그림을 통한 개념 정의와 실제로 경험하기, 경험한 후에 그리기, 확장하기, 심화과정, 발전된 확장과 심화가 순차적으로 진행된다. 그 외의 교육과정으로는 의사소통을 통한 학습과 사회적 상호작용, 기록화 활동이 있다.

4) 물리적 환경구성

레지오 에밀리아 접근법이 다른 프로그램과 특별히 구별되는 점은 물리적 환경을 구성하는 데 있어 독특한 철학을 가지고 있다는 것이다. 레지오 유치원은 사회환경을 유도하고, 유아나 교사 간의 이야기를 공유할 수 있는 공간으로 구성되어 있는데, 유리벽을 설치하여 공간을 분리하고 공동체 의식을 함양하고자 하는 목적 모두를 충족시키고자 한다. 또한 자연환경을 중시하므로 인공조명보다 자연채광을 이용하도록 설계하고, 초록식물, 나뭇가지 등과 같은 자연물 장식을 재활용하여 학습에 활용하기도 한다.

아뜰리에는 이 기관의 물리적 환경 중 중요한 요소라 할 수 있는데, '아뜰리에스타'라는 미술교사가 유아와 함께 미술작업을 하여 그들의 표상활동과 탐색활동을 도와주며 이러한 학습과정을 성인들이 이해할 수 있도록 해 준다. 따라서 이들은 교사가 유아의 작품을 평가한 뒤에 좀 더 창의성을 발휘하여 작업하도록 도와주거나, 지나친 주제나 많은 상징적 의미를 지닌 유아의 가능성을 보게 하며, 토의를 거쳐 아이디어를 교환하기도 한다. 이곳에는 다양한 미술자료가 비치되는데, 기관의 유아 모두가 사용하는 공동 아뜰리에 외에도 교실마다 미니 아뜰리에가 있어 표상활동과 기록화 작업이 용이하다.

또한 실내 정원과 삼각거울, 편지쓰기 영역으로 구성된 '피아짜(PIZZA)'가 있으며, 첨단공학 교수매체로는 라이트 테이블과 라이트 프로젝트, 그림자 스크린이 있다. 영유아센터는 영유아가 가정의 포근함과 편안한 분위기를 느끼며 안전하게 보호받을 수 있도록 구성한 공간이다. 유치원 입구에 부모를 위한 공간을 만들어 자녀들과 함께하거나 다른 부모들과 소통할 수 있는 공간으로 활용한다.

　'페다고지스타'는 우리말로 '교육조정자'에 해당하며 유아교육 담당관 산하의 한 직책이다. 이들은 교육시스템이 원활히 진행되도록 보조하는 역할과 교사를 돕는 역할로 구분되는데, 일주일에 한 번씩 담당관과 함께 모여서 영유아 전반에 관한 정책이나 사안에 대해 토론을 한다.

3. 발도로프 접근법

1) 발도로프 학교의 설립

에밀 몰트(Emil Molt)는 담배공장에 다니는 사원들의 자녀에게 양질의 교육을 제공하고자 했던 슈타이너(Steiner)에게 함께 할 것을 제의했다. 따라서 슈타이너의 발달단계 이론에 입각하여 3~6세의 유치원교육과 7~14세를 위한 교육, 14세 이후를 위한 교육을 개발했다. 1926년에는 엘리자베스 그린레스가 슈투트가르트에 유치원을 설립하고 운영했으며, 1981년에는 238개로 증가하여 현재에는 전 세계적으로 1,200개 이상의 자유 발도로프 유치원이 운영되고 있다.

2) 발도로프 교육의 이론적 기초

발도로프 교육의 목적은 인간 중심 사고를 기초로 하여 인간 내면의 정신적인 것을 인식하고, 더 나아가 우주의 정신현상을 인식할 수 있도록 하는 것이다(정영수, 1997, 재인용).

　또한 슈타이너의 인간에 대한 인지학적 이해와 인간 발달 단계론 외에도 인간 기질론을 바탕으로 하고 있는데, 이는 인간을 교육시킬 때에는 유전적 요소와 개인적 특성을 반영해야 한다고 보는 것이다. 따라서 교사가 아동의 타고난 기질을 올바르게 이해해야 기질에 따라 적절한 교육을 제공해 줄 수 있는데, 아동의 기질은 크게 다혈질, 담즙질, 우울질, 점액질과 같이 네 가지로 구분될 수 있다고 보았다.

3) 발도로프 학교의 교육과정과 환경

교육과정과 환경에는 리듬과 오이 리트미, 스토리텔링, 수채화 그리기 등이 있다.

유아기는 리듬에 민감한 시기이므로 규칙과 리듬을 활용하는 것이 중요한 교육방법 중 하나이다. 리듬은 공간적 리듬과 대집단 놀이 후에 소집단 놀이를 하고 다시 대집단 놀이로 진행되는 일과의 시간적 리듬, 유아와 교사 간의 정신적 유대를 위해 3년 동안 같은 담당교사가 아침마다 만남의 시간을 갖는 정신적 리듬으로 구분될 수 있다.

오이 리트미는 그리스어로 '아름다운 언어'라는 의미로 동작을 통해 언어와 음악을 느끼게 하는 교육 프로그램이다. 스토리텔링은 유아에게 전래동화나 시 등의 이야기를 들려준 뒤 그에 대해 상의해 보고 말이나 글로 표현하게 하는 것이다.

발도로프 프로그램에서 수채화 그리기는 독특한데, 먼저 도화지를 물에 담갔다가 꺼내서 천으로 물기를 조심히 닦아낸다. 그런 다음에 물기가 있는 붓으로 물감을 찍어 도화지에 그림을 그리는 것으로, 이때 물감이 종이에 서서히 스며들며 경계가 생기지 않는데, 이는 발도로프 학교에서 환경구성 시 곡선을 강조하는 원리와 같은 것이다.

앞에서도 언급했듯 발도로프의 건물에는 각진 부분이 없으며 지붕, 교실, 복도가 곡선으로 이어져 있다. 교실과 실외 환경은 나무로 되어 있는데, 특히 실외는 다른 놀이기구 없이 오두막집과 나무의자만이 구비되어 있다. 장난감은 모두 자연소재로 만들어진 것인데 인형은 장식이 적고 유아의 상상력을 자극할 수 있도록 얼굴이 없거나 얼굴을 그려 넣을 수 있는 것이다. 이는 공격성을 배제하고, 환상과 창의성을 기르기 위한 프로그램의 의도이다.

　다음은 발도로프의 연간 리듬과 일일 계획안, 일일교육 계획표이다.

하루 리듬			
색칠하기	창조적 놀이	서정적 음악	표 연간 리듬과 일일 계획안
스토리텔링	자연 탐구	아이 돌보기 게임	
절기 작품 만들기	작업 활동	노래 부르기	
일주일 리듬			
찰흙 빚기	오이 리트미	페인팅	
국 만드는 일	농삿일 하는 날	빵 굽는 날	
절기 리듬			
개원일	미카엘 축제	할로윈 축제	
하누카 축일	추수감사절	강림절 가든 파티	
봄 산책	성탄절	생일 잔치	

일일 교육 계획		
7:00 7:30 ～ 9:15 9:15 ～ 9:45 9:45 ～ 10:00 10:00 ～ 10:20 10:30 ～ 11:30 11:30 11:45 12:00	• 등원, 교사와의 만남 • 자유놀이: 간단한 간식 준비, 작업, 축제에 관련된 활동 정리 정돈, 손 닦기 • 리듬 있는 놀이 • 아침 모임, 실외놀이 할 준비 • 정원에서 놀이, 모래놀이, 화단 가꾸기, 풀 베기, 추운 날, 약간 비 오는 날 산책하기 • 교실로 들어와 손 씻기, 인형 준비하여 이야기 코너로 가기 • 동화 모임 (일주일 동안 같은 내용을 들려 준다.) • 귀가: 부모가 와서 데려가기	출처: 홍지연 (2002) 영유아 교육 프로그램

4) 발도로프의 교사

발도로프 학교에서 요구하는 교사상은 자신을 가치 있는 존재로 여기는 인식과 교사의 직업적 전문성이 통합되고, 아동의 요구에 호응할 수 있는 자유분방함을 지닌 사람이다. 뿐만 아니라 교사는 창조적 예술과 동작, 음악을 개발할 수 있어야 하며 지속적으로 교과과정을 연구하고, 유아의 바람직한 성장을 지원해 주는 조력자가 되기 위해 항상 노력해야 한다(홍지연, 2002).

발도로프 학교 교육의 특징은 교장과 교감이 없이 교사들이 자유롭게 참여하는 자치적 협의 체제로 이루어진다는 것이 대표적이다. 또한 기존의 공립학교와 달리 학교 자체의 지지단체에 의해 관리되기 때문에 국가로부터 경제적으로 독립되어 감독을 받지 않는다. 발도로프는 자연을 중시하는 철학에 따라 건물에 각이 없으며, 교실은 원형형태이다. 유치원은 통합 연령으로 운영되며 보통의 모든 아동들이 다닐 수 있는 학교와 12년간의 초등학교와 중등학교를 통합한 학교가 있다.

아동의 개별화 지도를 강조하는 발도로프는 교사와 아동 간의 지속적인 교류를 위해 한 명의 담임이 학년이 올라가도 계속 담임을 맡는 담임 교사제를 실시하고 있다. 또한 예술활동을 하는 동안 영혼도 학습을 한다고 인식했으며 이것에 교육적인 의미가 있기 때문에 교과서나 시험, 성적표가 없다.

4. 생태교육 프로그램

1) 생태교육 프로그램의 필요성과 의의

이 프로그램들은 외국에서 발생한 것으로 유아교육에 대한 연구가 비교적 늦게 시작한 우리나라에 많이 유입되었다. 하지만 부산지역을 중심으로 한국적인 프로그램을 개발하고자 하는 움직임이 일어났고 현재는 생태 유아교육 프로그램이 활발히 진행되고 있다.

과학기술의 발전이 가속화되면서 사회 전반에서 기기 및 기술이 중심을 차지하게 되자 인간 중심 사상이 기계 중심으로 바뀌는 동시에, 자연 생태계도 급속하게 파괴되고 있다.

따라서 생태 지향적 교육은 자연과 함께하는 삶을 실천하여 비인간적이고 비자연적인 것을 극복하자는 데 의의를 두고 있다. 사실 인간은 자연 없이는 생존이 불가능하며 자연도 적절한 관리가 필요하므로 인간과 자연은 불가분의 관계라고 할 수 있다. 즉 생태교육이란 인위적인 교육이 아닌 자연의 순리를 따르는 자연적인 교육이다.

2) 생태 유아교육의 방향

생태 유아교육의 실천적 방향은 유아중심 교육에서 생명중심 교육으로의 실천, 개인중심 교육에서 공동체중심 교육으로의 전환, 이성중심 교육에서 전인교육으로 변화하는 것이다.

3) 생태 유아교육의 이념과 원리

생태 유아교육의 이념과 원리에 대해서는 여러 정의가 있다. 정유성(1997)은 인간과 자연의 평화를 되찾기 위해 무엇보다도 인간을 중심으로 한 자연 파괴적 세계관을 극복하고 총체적이며 유기적인 세계관을 정립해야 한다고 했다. 또한 유경숙(2003)은 교사는 유아가 자발적으로 놀이에 참여하여 창의적 사고를 하고 자연을 즐길 수 있는 환경을 마련해 주며 자연과 더불어 살도록 지원해 주어야 한다고 했다. 최규철(1997)은 교육의 핵심이 자연에 있다고 보고, 자연은 인간의 마음을 순화시켜 주고 가장 훌륭한 교과서이자 인성교육과 창의성 교육 등이 세상에서 유아에게 필요한 교육을 할 수 있는 유일한 교사라고 했다.

참고문헌

Dick, W., Wager. W. (1995). Preparing performance technologists: the role of a university. Performance Improvement, 8(4), 34-42.

Driscoll, M. P., Klein. J. D., & Sherman, G. P. (1944. March). Perspectives on instructional planning: How do teachers and instructional design conceive of ISD planning practices. Educational Technologies, 34-42.

Earle, R. S. (1994, March). Instructional design and the classroom teacher: looking back and moving ahead. Educational Technology, 6-10.

Gayeski, D. (1995). Changing roles and professional challenges for human performance technology. Performance Improvement Quartely, 8(2), 6-16.

Gayeski, D. (1991). Software tools for empowering instructional developers, Performance Improvement Quarterly, 4(4), 12-36.

Gery, G. (1991). Electronic performance support system, Boston: Weingarter.

Gilbert, T. (1978). Human competence: Engineering worthy performance. New York: McGraw-Hill.

Greer, M. (1992, July). Critical attributes of ID project success: Part I. The survey. Performance and Instruction, 12-17.

Gustafson, K. L. (1993). Instructional Design Fundamentals: Clouds on the horizon, Educational Technology, 33(2), 27-35.

Halprin, M., & Greer, M. (1993, July). Critical attributes of ID project success: Part II. The survey results. Performance and Instruction, 15-21.

Hannum, W., & Hansen, C. (1989). Instructional systems development in large organizations. Englewood Cliffs, NJ: Educational Technology Publications.

Hariess, J. (1995). Performance technology skills in business: Implications for preparation. Performance Improvement Quarterly, 8(4), 75-88.

Hlynka, D., & Belland, J. (1991). Paradigms regained. Englewood Cliffs, NJ: Educational Technology Publications.

Holcomb, C., Wedman, J. E., & Tessmer, M. (1996). ID activities and project success: Perceptions of practitioners. Performance Improvement Quarterly, 9(1), 49-61.

Hudspeth, D. (1992, June). Just-in-time education. Educational Technology, 7-11.

Hudzine, M., Rowley, K., & Wager, W. (1996). Electronic performance support technology: Defining the domain. Performance Improvement Quarterly, 9(1), 36-48.

Jones, M. K., Li, Z., & Merrill, M. D. (1992). Rapid prototyping in automated instructional design. Educational Technology Research & Development, 40(4), 95-100.

Kember, D., & Murphy, D. (1990). Alternative new direction for instruction design. Educational Technology, 30(8), 42-47.

Klein, J. (1991). Perceive teacher's use of learning and instructional design principles. Educational Technology Research & Development, 39(3), 83-89.

Martin, B. (1990). Talk about teaching: Instructional systems design within teacher education. Educational Technology, 30(5), 32-33.

McCutcheon, G. (1980). How do elementary school teachers plan? The nature of planning and influences on it. The Elementary School Journal, 81, 4-23.

Medsker, K., Hunter, P., Stepich, D., Rowland, G., & Basnet, K. (1995). HPT in academic curricular; survey results, Performance Improvement Quarterly, 8(4), 22-33.

Merrill, M. D. (1994). Instructional design theory. Englewood Cliffs, NJ: Educational Technology Publications.

Merrill, M. D., Li, Z., & Jones, M. K. (1990a). Limitations of first generation instructional design. Educational Technology, 30(1), 7-11.

Merrill, M. D., Li, Z., & Jones, M. K. (1990b). Second generation instructional design. Educational Technology, 30(2), 7-14.

Muraida, D. J., & Spector, J. M. (1993). The advanced instructional design advisor. Instructional Science, 21, 239-253.

Noel, K. (1991, April). An application of an ISD approach to curriculum development and change in a large-scale eudcation project: The case of Botswana. Paper presented at the annual meeting of the American Reaearch Association, Chicago, IL.

Perez, R. S., & Emery, C. (1995). Designer thinking: How novices and experts think about instructional design. Performance Improvement Quarterly, 8(3), 80-95.

강숙현(1994). 유아교육 프로그램 평가척도의 이해와 활용. 서울: 동문사.

경기도교육청(1999). 제6차 교육개정에 따른 경기도 유치원 교육과정 편성, 운영실제.

곽노의(1996). 발도로프 유치원의 교육이론과 활동. 유아교육연구, 16(1), 5-22.

교육부(1995). 유치원교육활동지도 자료집 1: 총론. 서울: 국정 교과서 주식회사.

국립교육평가원(1997). 유치원 교육수행평가의 이론과 실제. 국립평가원.

김광웅·박인전·방은령(1997). 영유아보육론. 서울: 중앙출판사.

김수영·김수임·송규운·정정희(2003). 영유아교육 프로그램. 서울: 양서원.

김영아(1998). 유아교육 프로그램의 질적 수준에 대한 교사의 자기 평가. 이화
    여자대학교 일반대학원 석사학위 청구논문.

김영호(1999). 레지오 에밀리아 접근법의 이론과 실제. 서울: 학지사.

김은희(2001). 레지오 에밀리아 접근법의 이해와 현장적용: 다양하게 표상하며
    물어보기. 서울: 창지사.

김익균 외(2002). 보육학개론. 서울: 교문사.

김정규(2000). 유아교육과정. 서울: 동문사.

김향자 외(2001). 영유아교육 교수설계. 서울: 동문사.

김혜경(2001). 영유아교육기관의 개원과 운영. 서울: 창지사.

덕성여자대학교 부속유치원 편(2001). 상호작용이론에 기초한 유아교육과정의
    운영 및 활동의 실제. 서울: 학지사.

덕성여자대학교 유아교육연구소(1993). 상호작용이론에 근거한 유아교육과
    정. 서울: 창지사.

박수진(2002). 유아기 자녀를 둔 학부모의 조기/특기 교육에 관한 실태 분석.
    이화여자대학교 일반대학원 석사학위 청구논문.

박영숙·유현숙(1997). 사립유치원기관 평가 준거 개발연구. 서울: 한국교육개
    발원.

박영자(2002). 유치원 교사와 학부모의 반편견 교육에 대한 인식 및 실제. 이화
    여자대학교 교육대학원 석사학위 청구논문.

박은혜(1998). 반편견교육을 위한 교사의 반성적 사고. 제12회 한국 어린이 육
    영회 유아교육 학술대회 자료집.

박찬옥(1998). 반편견교육과정의 정의 및 필요성. 제12회 한국 어린이 육영회

유아교육학술대회.

보건복지부(1991). 어린이집 보육교사를 위한 영유아보육 프로그램. 한국탁아
　　사업의 어제 오늘 내일. 한국 행동과학연구소.

서울교육대학교 초등학교 연수원(2001). 21세기 유아교육발전 모색론, 자유발
　　도로프 유아교육론, p151.

쇼우지 마사코 편(1995). 유아교육사상의 이해(팽영일 역). 서울: 창지사.

어린이 육영회 치료교육연구소(2001). 장애아동통합교육을 위한 일반교사
　　교육.

양옥승 외(1999). 여유아보육론. 서울: 학지사.

연세대학교 어린이생활지도연구원 편(1995). 연세개방주의 유아교육과정(개
　　정판, 반일제 만 3, 4세 프로그램). 서울: 창지사.

연세대학교 어린이생활지도연구원 편(1996). 연세개방주의 유아교육과정(개
　　정판, 반일제 만 5세 프로그램). 서울: 창지사.

유가효 · 이소희 · 한성심 · 장명림 · 장미경 · 조은영(2000). 보육학개론. 서울:
　　동명사.

유경숙(2003). 생태지향적 유아과학교육에 관한 소고. 아동교육학회, 12(1),
　　95-103.

유안진(1994). 유아교육론. 서울: 창지사.

이경우 · 이정환(1995). 유아를 위한 과학교육. 서울: 창지사.

이연승 · 류재경(2002). 세계화 시대의 유아교육, 반편견교육과정의 의의와 교
　　육의 방향, 87-102. 서울: 창지사.

이기숙(1981). 유아교육 프로그램 운영을 위한 단원자료집(I). 서울: 이화여자
　　대학교 사범대학 부속유치원 출판부.

이기숙 · 이은해(1983). 유아교육 프로그램 유형에 따른 효율성에 관한 연구.
　　교육학연구, 21(2), 83-105.

이기숙 · 장영희 · 정미라 · 엄정애(2002). 유아교육개론. 서울: 양성원.

이순영(1997). 유치원에서의 종일제 학급운영에 관한 교사의 인식. 이화여자대
    학교 교육대학원 석사학위 청구논문.

이상현(2000). 유아교육사상. 부산: 세종출판사.

이영자 외(2001). 탐색 및 놀이활동중심의 1, 2세 영아프로그램의 개발 및 그
    효과에 대한 연구. 유아교육연구, 21(2), 313-154.

이영준(1997). 유아교육 프로그램의 분석에 관한 연구. 유아교육협회지, 35-
    59.

이윤경 외(2003). 유아교육개론. 서울: 창지사.

이은화 · 양옥승(1998). 유아교육론. 서울: 교문사.

이은해 · 송혜린 · 신혜영 · 최혜영(2003). 어린이집 프로그램 관찰척도의 개발
    과 타당화. 아동학회지, 24(3), 137-139.

찾아보기

사

아

김경진

한양대학교 대학원 교육공학과(교육학 박사)

현) 한양대학교 교직과 겸임교수

auti135@hanyang.ac.kr

저서

1. 감사 · 배려 · 협력하는 우리(기본편) / 김경진 / 원기획앤프린팅 / 2015.11.30.
2. 감사 · 배려 · 협력하는 우리(심화편) / 김경진 / 원기획앤프린팅 / 2015.11.30.
3. 인성교육(마음의문을 열어라. 첫 번째 이야기) / 김경진 / 원기획앤프린팅 / 2015.11.30.
4. 인성교육(마음의문을 열어라. 두 번째 이야기) / 김경진 / 원기획앤프린팅 / 2015.11.30.
5. 인성교육(마음의문을 열어라. 세 번째 이야기) / 김경진 / 원기획앤프린팅 / 2015.11.30.
6. 공간 감각 유클리드 / 김경, 김경진 / 파워북 / 2016.06.01.
7. 두뇌인지교육 / 김경, 김경진 / 파워북 / 2016.06.01.
8. 집중력 향상 유아놀이 / 김경, 김경진 / 파워북 / 2016.06.01.
9. 셜록의 기억력 마스터 / 김경, 김경진 / 파워북 / 2016.08.01.
10. 우리아이 생각하는 다윈 / 김경, 김경진 / 파워북 / 2016.08.01.
11. 인지능력 향상 언어놀이 / 김경, 김경진 / 파워북 / 2016.08.08.
12. 프로그램개발 및 평가: 유아영재교육 / 김경, 김경진 / 파워북 / 2016.10.11

영유아 교육을 위한 교수설계

발행일 2019년 10월 31일 초판 발행

저자 김경진

발행인 구본하 | **발행처** (주)아카데미프레스 | **주소** (04002) 서울시 마포구 월드컵북로5길 33 2층(서교동 동아빌딩)

전화 02-3144-3765 | **팩스** 02-3142-3766 | **이메일** info@academypress.co.kr

웹사이트 www.academypress.co.kr | **출판등록** 2018. 6. 26 제2018-000184호

ISBN 979-11-968103-1-3 93370

값 14,000원